CW00819684

Le Club des Cinq
et le château de Mauclerc

Enid Blyton ™

Le Club des Cinq et le château de Mauclerc

Illustrations
Frédéric Rébéna

HACHETTE
Jeunesse

Claude

11 ans.
Leur cousine. Avec son fidèle chien
Dagobert, elle est de toutes
les aventures.
En vrai garçon manqué,
elle est imbattable dans tous
les sports et elle ne pleure
jamais… ou presque !

François

12 ans
L'aîné des enfants,
le plus raisonnable aussi.
Grâce à son redoutable sens
de l'orientation, il peut explorer
n'importe quel souterrain sans jamais se perdre !

Mick

11 ans comme Claude.
C'est un casse-cou (un gourmand aussi !)
qui n'hésite jamais avant de se lancer
dans les plus périlleuses aventures...

Annie

10 ans
La plus jeune, un peu gaffeuse,
un peu froussarde !
Mais elle finit toujours par
participer aux enquêtes,
même quand il faut affronter
de dangereux malfaiteurs...

Dagobert

Sans lui, le Club des Cinq ne serait rien !
C'est un compagnon hors pair, qui peut monter
la garde et effrayer les bandits.
Mais surtout c'est le plus attachant des chiens...

chapitre 1

Claude s'ennuie

— Ce n'est pas juste ! s'écrie Claude. Moi aussi, j'ai le droit de partir en vacances, comme les autres ! François, Mick et Annie s'en vont pour quinze jours, et je suis obligée de rester ici !

— Sois raisonnable, ma chérie, répond sa mère. Tu pourras les rejoindre dès que ton angine sera guérie.

— Je me sens très bien ! réplique la jeune fille en fronçant les sourcils.

— Ça suffit, Claudine ! intervient son père en levant les yeux de son journal. Tu nous répètes la même chose depuis trois

7

jours. Le docteur a demandé que tu ne sortes pas tant que tu as de la fièvre.

L'adolescente ne répond jamais lorsqu'on l'appelle par son vrai prénom, Claudine, parce qu'elle trouve qu'il fait trop « fille ». Alors, bien qu'elle veuille ajouter quelque chose, elle serre les lèvres et regarde ailleurs. Sa mère se met à rire.

— Ma chérie, ne fais pas cette tête-là ! Si tu as attrapé une angine, tu ne peux t'en prendre qu'à toi-même : tu as voulu aller te baigner dans la mer, bien que le temps soit encore très frais.

— Il faisait plutôt bon, samedi après-midi, rétorque Claude, boudeuse.

— C'est fini, oui ? s'exclame son père. Si tu continues comme ça, tu passeras toutes tes vacances ici, à la maison !

— Ouah ! fait Dagobert, sous la table. Il manifeste toujours sa désapprobation quand quelqu'un parle durement à sa jeune maîtresse.

— Allons, calmez-vous tous les deux, l'interrompt son épouse en riant. Claude, ma chérie, il faut que tu sois patiente. Je te laisserai rejoindre tes cousins dès que ta fièvre sera tombée, peut-être demain.

— Merci, maman ! Tu verras que j'irai parfaitement bien demain matin ! Et je pourrai partir l'après-midi même pour Château-Mauclerc !

— Château-Mauclerc ? Qu'est-ce que c'est que ça ? demande son père. Je n'en ai jamais entendu parler !

— Oh ! Henri ! proteste sa femme. Je t'ai expliqué au moins trois fois qu'un camarade de classe a prêté deux vieilles roulottes à François, Mick et Annie. Ces roulottes se trouvent dans un champ, non loin d'une colline sur laquelle est perché un vieux château en ruine : le château de Mauclerc. C'est un coin très calme, où les enfants pourront passer des vacances reposantes.

— Et vivre quelques aventures... ajoute Claude en souriant.

— Ah ! non ! prévient sa mère. Il faudra que tu restes tranquille pendant ce

9

séjour. Je ne veux pas que tu retombes malade ! N'est-ce pas, Henri ?

— Oh... avec Claude, on ne sait jamais... Dès qu'elle flaire le mystère, elle court après ! Tout comme ses cousins, François et Mick ! Ils sont toujours à la recherche de nouveauté et de frissons ! Même leur sœur Annie, qui est pourtant moins aventurière, finit par suivre le mouvement... Bon, assez discuté. Je dois retourner à mon travail.

Il se lève brusquement de sa chaise et sort. Quelques secondes plus tard, on entend claquer la porte du bureau. Puis, c'est le silence.

— Et voilà ! soupire la mère de Claude. Ton père va s'ensevelir dans ses papiers jusqu'à midi.

— Est-ce qu'il va prendre quelques jours de vacances ? demande la jeune fille.

— Non, il a trop à faire en ce moment... On l'a chargé d'effectuer des recherches de la plus haute importance. Il doit, d'ailleurs, recevoir l'aide d'un jeune assistant dénommé Vincent. Tu te souviens de lui ? Il est venu dîner à la maison le mois dernier. C'est un garçon très sympathique et très intelligent. Il restera ici une dizaine de jours.

Puis elle examine l'adolescente et poursuit :

— C'est vrai que tu as l'air d'aller mieux. Je prendrai ta température une dernière fois ce soir, mais je crois que tu seras en état de partir demain. Tu peux commencer à préparer tes affaires.

— Oh ! Merci ! s'écrie Claude en l'embrassant. De toute façon, papa sera bien content que je quitte la maison pendant ces vacances de Pâques. Je suis trop bruyante pour lui !

— Vous vous ressemblez... sourit sa mère en se remémorant les portes claquées et autres cris de colère. Vous êtes souvent insupportables, mais je ne pourrais pas me passer de vous. Oh ! Dagobert, tu es encore sous la table ? Ne laisse pas traî

11

ner ta queue comme ça ! J'ai dû te faire mal, mon pauvre chien !

— Il ne t'en voudra pas, maman. Allez, je vais préparer ma valise tout de suite. Au fait, je devrai prendre le train pour rejoindre Château-Mauclerc ?

— Oui. Je me suis renseignée pour toi. Il y a un train à dix heures quarante. Tu changeras à Quimper, et tu prendras la correspondance pour Château-Mauclerc.

— Et comment est-ce que je préviendrai mes cousins que j'arrive demain ? J'aimerais bien qu'ils viennent me chercher à la gare...

— François a dit qu'il téléphonerait ce soir à la maison, pour prendre des nouvelles de ta santé. Tu lui préciseras ton heure d'arrivée quand tu l'auras en ligne.

— Super ! s'exclame Claude, folle de joie. Viens, Dagobert !

Et tous deux sortent en trombe de la pièce. La porte se referme si violemment derrière eux que toute la maison tremble.

Aussitôt, une voix furieuse s'élève du bureau :

— Qu'est-ce que c'est que tout ce vacarme quand je travaille ?

Claude sourit en montant l'escalier quatre à quatre. Son père n'entend décidément que les portes claquées par les autres. C'est un savant qui aime passionnément son travail, un homme très bienveillant, malgré ses mouvements d'impatience et de colère.

L'adolescente vide ses tiroirs et commence à ranger des vêtements dans un sac de voyage. Sa mère vient l'aider. Toutes deux ont beaucoup de mal à se mettre d'accord lorsqu'il s'agit de faire une valise : la jeune fille refuse chaque fois de prendre des vêtements chauds ! Quant aux robes et aux jupes, elle s'y oppose catégoriquement.

— C'est bon ! Emporte ces vilains shorts et ce pull-over bleu marine ! Je me demande à quel âge tu cesseras de t'habiller et de te comporter comme un garçon... En revanche, tu n'iras nulle part si ton sac ne contient pas au moins une veste chaude et une couverture de laine ! Au mois d'avril, les nuits peuvent être très fraîches, tu sais... surtout quand on dort dans une roulotte !

— Les roulottes... soupire Claude, l'air rêveur. Je me demande à quoi elles ressemblent...

— Tu le verras demain. Oh ! voilà que tu recommences à tousser !

— C'est à cause de la poussière, s'empresse de répondre la jeune fille en devenant rouge et en résistant désespérément aux chatouillements qu'elle ressent dans la gorge.

Elle avale vite un verre d'eau. Il ne faut pas que sa mère change d'avis, et lui interdise de rejoindre ses cousins à Château-Mauclerc !

— Tu me téléphoneras tous les jours pour me donner des nouvelles de ta santé. Et tu n'oublieras pas de prendre tes antibiotiques tous les soirs avant de te coucher, d'accord ?

L'adolescente acquiesce, rassurée que sa quinte de toux n'ait pas compromis son départ.

Ce soir-là, Claude est gaie comme un pinson. Plus qu'une nuit, et elle va revoir ses cousins ! Tous ensemble, ils vont passer une dizaine de jours en roulotte !

Soudain, le téléphone sonne. La jeune fille entend sa mère décrocher le combiné :

— Allô ! Oui, François ! Comment vas-tu ?... Un problème ?... Que se passe-t-il ?

Claude se précipite dans l'entrée. Il est peut-être arrivé quelque chose de grave ! Elle écoute, le souffle coupé.

— Que dis-tu, François ? Je ne comprends pas... Mais oui, ton oncle va bien. Non, il n'a pas disparu. François, qu'est-ce que tu racontes ? Allons, ne t'inquiète pas. Je vais te passer ta cousine : elle vous rejoindra demain par le train.

Elle lui donne l'appareil :

15

— Allô ! François ! Vous avez des ennuis ?

— Non, non ! répond la voix du jeune garçon dans l'écouteur. Mick, Annie et moi, on a entendu un flash spécial à la radio, il y a une heure. Le journaliste a annoncé que deux grands savants ont brusquement disparu avec des documents importants. Et il a ajouté que la police n'a encore aucune piste... Alors on a voulu s'assurer que ton père n'était pas l'un de ces scientifiques qui se sont mystérieusement volatilisés !

Claude frémit en pensant à cette étrange disparition, mais elle tranquillise son cousin :

— Ne te fais pas de souci ! Papa est enfermé dans son bureau, et il y passera toutes les vacances. Il a beaucoup de travail en ce moment. Au fait, François ! Mick, Annie et toi vous viendrez me chercher à la gare demain ? J'arrive à midi !

— On sera là ! Et Dagobert prendra le train avec toi ?

— Bien sûr ! répond la jeune fille en riant. Sans lui, le Club des Cinq ne serait pas au complet !

chapitre 2

De nouveau réunis

Le lendemain matin, sur une colline humide de rosée, deux garçons sortent de leur roulotte ; ils descendent les marches et, tout en riant et en se bousculant, vont frapper à la porte de la roulotte voisine.

— Annie ! Es-tu réveillée ? Il fait un temps splendide !

— Il y a longtemps que je suis levée ! répond une voix fluette. Entrez !

François et Mick poussent la porte peinte en bleu. Leur petite sœur est en train de se coiffer devant un miroir accroché à la cloison de l'étroit logis.

— Je commence à avoir faim, pas

vous ? déclare la fillette. On devrait préparer le petit déjeuner ! Et à onze heures et demie, on partira pour la gare.

Tout le monde est d'accord. Les trois enfants s'installent sur les marches pour boire leur chocolat et manger des tartines beurrées. L'air est tiède, et François retire sa veste.

Les deux roulottes sont installées dans un champ, sur le plateau de la colline. Elles sont abritées du vent par une haie, au pied de laquelle poussent des primevères et toutes sortes de fleurs qui semblent tendre leur corolle vers le soleil.

Tout en déjeunant, ils contemplent l'autre colline qui s'élève en face d'eux, couronnée d'un château en ruine, dont les épaisses murailles défient les tempêtes qui soufflent souvent sur la région. Cette vieille demeure possède quatre tours. Trois d'entre elles sont fortement endommagées, mais la quatrième paraît presque intacte. Il n'y a aucune fenêtre, mais des meur-

20

trières, d'où les archers lançaient autrefois leurs flèches.

Pour aller au château, il faut prendre un sentier escarpé qui conduit au pied de l'énorme porte fortifiée, construite en gros blocs de pierre blanche. Cette entrée est maintenant condamnée, et les visiteurs doivent passer par une porte étroite qui donne accès à l'une des tours. Le château est entouré d'une haute muraille, quelque peu ébréchée ; plusieurs pierres, qui ont dévalé la colline, sont à demi enterrées dans l'herbe. De toute évidence, ce sont là les restes d'une magnifique forteresse, construite sur une hauteur par mesure de sécurité. De cet endroit, les sentinelles postées dans les tours ou même sur les remparts pouvaient surveiller la région à des lieues à la ronde. L'ennemi ne pouvait approcher sans être vu de très loin.

Après le déjeuner, les trois enfants restent assis sur les marches, se chauffant au soleil. Ils regardent le vieux château, et observent de gros oiseaux qui planent au-dessus des ruines.

— Ce sont des choucas, déclare Mick. Vous voyez la façon dont ils tournent tous en rond sans jamais se heurter ?

— On dirait des corbeaux, constate Annie.

— Les choucas sont de la même famille que les corneilles et les corbeaux, explique François, mais on ne les trouve qu'en haut des clochers et autour des ruines. J'ai appris ça en cours de biologie l'année dernière.

— Tu crois qu'ils font leurs nids dans ce vieil édifice ? demande sa sœur.

— Oui, ils amassent des brindilles au sommet des tours, et ils s'installent dessus.

— J'aimerais bien voir ça de plus près ! intervient Mick. Quand Claude sera là, on ira faire un tour au château : j'ai lu dans un guide touristique qu'on pouvait le visiter. C'est un monument historique, vous savez !

— Bonne idée ! s'écrie son frère aîné. Et maintenant, il est temps de se mettre à la vaisselle et de ranger nos affaires. On part pour la gare dans moins d'une heure !

— Tu crois vraiment que Claude remarquera qu'on a fait le ménage ? interroge Annie, l'air un peu goguenard.

Mais elle aime bien s'occuper de sa roulotte, et elle veut la montrer à sa cousine aussi belle que possible.

Elle va jusqu'à la haie et cueille un gros bouquet de primevères. Quand elle est de retour, elle le divise en deux, en met la moitié dans un petit vase bleu, disposant harmonieusement les feuilles tout autour, et place le reste des fleurs dans un autre vase. Puis elle se met à essuyer la petite planche servant de table, ainsi que les étagères. Enfin, elle accompagne Mick jusqu'au ruisseau pour laver les tasses et les couverts du déjeuner.

La fillette est tout heureuse.

— Voilà le genre de vacances que j'aime ! annonce-t-elle. De petites maisons

23

rien qu'à nous, des champs et des collines autour, des repas selon nos envies... et pas trop d'aventures !

— J'ai bien entendu le mot « aventures » ? demande son frère, avec un sourire en coin. Tu as dit que tu avais envie de vivre des tas d'aventures ?

— Pas du tout ! s'empresse de répondre Annie. Tu sais très bien que je préfère passer des vacances paisibles. Et de toute façon, je ne vois pas ce qui pourrait arriver dans un coin aussi tranquille que Château-Mauclerc !

À onze heures et demie, tout est reluisant. Le sac de couchage prévu pour Claude est posé sur une tablette, au-dessus d'un lit pliant qui, dans la journée, est relevé contre la paroi pour faire de la place. Annie a un lit identique de l'autre côté.

— Vous êtes prêts ? demande François. Il est l'heure de partir pour la gare.

Les trois jeunes campeurs descendent la côte. Le vieux château, qui leur faisait face sur l'autre colline, semble s'élever de plus en plus haut, au fur et à mesure qu'ils approchent du village.

— J'ai tellement hâte de revoir Dagobert ! confie Annie. Et je serai bien contente de partager ma roulotte avec Claude ! Non pas que ça m'ennuie de dormir seule la nuit, mais je préfère quand même avoir de la compagnie... surtout que Dago pousse des grognements comiques dans son sommeil !

— Dans notre roulotte, c'est Mick qui donne des concerts de ronflements et de gémissements, mais moi, je ne trouve pas ça drôle du tout ! raille François.

— Comment ça ? proteste son frère, indigné. Je ne fais aucun bruit ! Mais toi ! Si tu pouvais t'entendre ! Tu t'apercevrais que... Eh ! Regardez ! Je crois bien que c'est le train qui débouche là-bas, au tournant. Courons !

Ils prennent leurs jambes à leur cou et arrivent à la gare en même temps que le convoi. Une tête bouclée paraît dans l'encadrement d'une portière, puis une autre tête brune se place juste en dessous.

— Claude et Dagobert ! s'exclame Annie.

— Salut ! crie sa cousine.

— Ouah ! fait le chien.

D'un bond, il est sur Mick. Sa maîtresse saute sur le quai, les yeux brillants de joie. Elle embrasse Annie et gratifie les garçons d'une bonne bourrade chacun.

— Enfin, nous voilà réunis ! annonce-t-elle. Je ne pouvais supporter l'idée que vous campiez sans moi.

— Nous non plus, la rassure François en la prenant par le bras. Si on allait manger des glaces au village pour fêter ton arrivée ?

— Bonne idée ! acquiesce Claude. Regarde, Dago a compris ce que tu disais ! Il se lèche déjà les babines.... Alors, mon chien, tu es content que le Club des Cinq soit à nouveau au complet ?

— Wouf ! répond l'animal en léchant la main d'Annie pour la vingtième fois.

— Regardez, Claude a apporté des jumelles, fait remarquer Mick en désignant l'étui de cuir brun que la jeune fille porte en bandoulière. Ça tombe bien ! On pourra observer le vol des choucas au-dessus du vieux château !

— J'étais sûre qu'elles nous seraient utiles, dit sa cousine. Et où est donc ce vendeur de glaces ?

— On y est presque, déclare François. Je vais demander un cornet avec une boule à la vanille, une à la framboise et la dernière au chocolat !

— Mmmm... fait la jeune fille.

Ils passent commande au marchand, qui se montre très aimable avec ces bons clients.

— Le temps est magnifique, commente-t-il. C'est une chance pour les campeurs. Il y a beaucoup de monde là-haut ?

— Non, pas beaucoup, répond Mick en entamant sa glace avec un plaisir évident.

— Vous allez bientôt avoir de la compagnie, poursuit le commerçant. J'ai entendu dire qu'une troupe d'artistes de rue allait venir. Généralement, ils établissent leur campement dans le champ où vous êtes installés.

— Génial ! s'écrie Claude. Je sens qu'on va bien s'amuser !

chapitre 3
Une agréable matinée

— Ces artistes vont organiser une fête foraine ? Un cirque ? demande Annie.

— Non. Seulement une petite représentation, répond le marchand. On annonce un cracheur de feu ! Ça va attirer du monde... Moi, je ne comprends pas qu'on puisse vivre d'un métier aussi étrange ! Il y aura aussi un « homme-caoutchouc », on l'appelle ainsi parce qu'il peut faire des contorsions incroyables ! Il se plie dans tous les sens et se glisse dans des tuyaux et des fentes très étroites !

— Il ferait un bon cambrioleur, s'il le voulait, fait observer Claude. J'aimerais

être comme cet « homme-caoutchouc » !
Est-ce qu'il rebondit quand il tombe par
terre ?

Tous se mettent à rire.

— Quoi d'autre encore ? demande
François.

— Il y aura un charmeur de serpents,
poursuit le vendeur de glaces avec une grimace de répulsion. Oui, des serpents, vous
imaginez ?

— Espérons qu'ils ne sont pas venimeux, dit Mick, le regard inquiet. Je ne
veux pas retrouver des cobras et des serpents à sonnettes au pied de ma roulotte !

— Alors là ! Si c'est le cas, je rentre-
rai tout de suite à la maison ! décrète sa
sœur.

Un client approche de la boutique et le
commerçant interrompt son bavardage
pour s'occuper de lui. Les enfants sont
ravis à l'idée d'avoir des forains pour voisins.

— Un cracheur de feu ! s'émerveille
Claude. Il y a longtemps que j'ai envie

d'en voir un. Je parie que son numéro est truqué. Sinon, il se brûlerait la bouche et la gorge !

— Vous avez fini avec vos glaces ? demande François. On pourrait commencer à se mettre en route vers les roulottes, non ? Tu verras, ajoute-t-il en se tournant vers sa cousine, elles ne sont pas du tout modernes, ce sont de vieilles roulottes en bois. Mais elles te plairont, car elles sont gaies et colorées.

— Qui vous les a prêtées ? interroge la jeune fille lorsqu'ils sont en chemin. Un camarade de classe, c'est ça ?

— Oui. C'est Julien. Il va toujours camper avec sa famille dans ces roulottes, pendant les vacances de Pâques et les grandes vacances, dit François. Mais, cette année, ils ont décidé de faire un voyage en Angleterre et, plutôt que de les laisser vides, ils ont préféré les prêter.

Tout en montant, Claude regarde longuement la forteresse vétuste qui resplendit au soleil, sur la colline opposée.

— Le château de Mauclerc ! souffle-t-elle. Il me plaît ! Je voudrais connaître tout ce qui s'est passé dans ses murs au cours des siècles. On ira ?

— C'est prévu ! répond Mick. Je me demande s'il y a des cachots sombres, humides et lugubres !

Ils grimpent la colline verdoyante jusqu'au champ où se trouvent leurs roulottes. Claude pousse de joyeuses exclamations :

— Super ! On dirait vraiment des roulottes de bohémiens !

— La roulotte rouge à bande jaune est celle des garçons, explique Annie. La roulotte bleue à bande noire, c'est la nôtre !

— Ouah ! proteste Dagobert.

— Excuse-moi, Dag, c'est aussi la tienne ! s'empresse d'ajouter la fillette.

Les enfants constatent souvent que Dagobert a vraiment l'air de comprendre leurs conversations. Claude, pour sa part, est convaincue que son chien est aussi intelligent qu'un être humain.

Les roulottes sont assez bien conçues. De chaque côté s'ouvre une fenêtre avec de petits rideaux. Devant, il y a une porte, avec des marches d'accès. Ces étranges voitures sont perchées sur de grandes roues.

— Ce sont effectivement de vieilles roulottes de bohémiens qui ont été nettoyées et repeintes, explique François. Elles sont très confortables à l'intérieur. Les lits se replient contre la cloison dans la journée pour laisser une place suffisante, il y a un petit lavabo et le nécessaire pour faire la cuisine. Et même de vieux tapis sur le sol, pour protéger des courants d'air !

— On dirait que tu essaies de me les vendre, s'esclaffe sa cousine. Ne te fatigue pas ! Elles me plaisent beaucoup ! Une seule chose m'ennuie... ces lits sont sans doute très pratiques, mais ils sont étroits. Le pauvre Dagobert n'aura pas de place à mes pieds !

33

— Il pourrait coucher sur le tapis, non ? demande Annie.

— Ouah ! fait le chien, visiblement mécontent.

— Tu entends ? réplique sa maîtresse. Il dit qu'il n'en est pas question ! Il dort toujours sur mon lit.

— D'accord, d'accord ! Calme-toi ! Vous ferez comme vous voulez !

Claude est ravie d'être là, en compagnie de ses trois cousins et de Dagobert, pour le reste des vacances. Elle déplie et replie le lit qui lui est destiné. Elle ouvre le buffet, examine tout. Puis elle va voir la roulotte des garçons.

— Waouh ! Comme elle est bien tenue ! s'écrie-t-elle, surprise. Je me doutais que la roulotte d'Annie serait impeccable, mais je constate que la vôtre est aussi reluisante. J'espère que vous n'êtes pas tous devenus des fanatiques du ménage, parce que moi, je n'ai pas changé !

— Ne t'inquiète pas, la rassure Mick en souriant. Si tout est propre chez nous, c'est seulement parce qu'on voulait te faire une bonne impression.

— Je comprends mieux ! Et je vois que vous avez emporté un petit poste de radio, poursuit la jeune fille. Bonne idée ! On pourra écouter un peu de musique...

— Et les informations, aussi ! ajoute François. Je me demande si la police a retrouvé la trace des deux savants disparus...

— C'est vrai que cette histoire est bien mystérieuse... reconnaît sa cousine. Je me demande ce qui a pu arriver à ces scientifiques... Voyons s'il en est question dans le journal de treize heures.

Elle allume le transistor, et règle la fréquence pour trouver la bonne station.

Dès l'ouverture du bulletin d'informations, le journaliste évoque l'affaire des deux savants :

« D'après l'enquête, il ne semble pas que les deux hommes aient été enlevés ; les policiers pensent plutôt qu'ils sont partis

en emportant avec eux des dossiers clas-
sés "confidentiel", peut-être pour vendre
les résultats de leurs recherches à des puis-
sances étrangères !

Marcel Dumoutier et Antoine Tessier ont
disparu depuis quarante-huit heures. Ils
s'étaient réunis dans la maison d'un col-
lègue pour discuter de certains dossiers
scientifiques. Ils ont quitté l'appartement
de leur ami vers vingt-deux heures.
Depuis, personne ne les a revus.

D'après la police, Marcel Dumoutier
avait pris un billet d'avion pour Londres.
Son arrivée en Grande-Bretagne n'a pour-
tant pas été signalée. »

— Pas possible ! s'écrie Mick. Ils se
sont enfuis pour vendre leurs secrets à un
autre pays !

— Dumoutier et Tessier... marmonne
Claude. Mais... je connais ces noms-là !
Dumoutier est un chimiste, et Tessier un
historien spécialiste du Moyen Âge. Je
suis sûre que papa a travaillé avec ces

deux hommes dans le passé ! Il doit être furieux de penser qu'il a collaboré avec des traîtres...

Soudain, elle s'interrompt et blêmit.

— Vous pensez que Dumoutier et Tessier risquent d'attirer des ennuis à papa ? reprend la jeune fille, le regard soucieux.

— Mais non ! s'empresse de répondre François. Pourquoi veux-tu que ton père soit entraîné dans cette affaire ? Allez, arrête de t'inquiéter pour rien ! Et changeons de sujet : si on préparait le déjeuner ?

— Bonne idée ! acquiesce Annie, en espérant qu'un bon repas remontera le moral de Claude. Que diriez-vous d'un plat de poulet et de pommes de terre ? Et en dessert, de la crème à la vanille !

— C'est parfait ! approuve Mick. Je me charge de cuire les cuisses de volaille. Je vais allumer le feu dehors.

— N'oublie pas de garder un os pour Dagobert, glisse sa sœur.

— Moi, je vais m'atteler à l'épluchage

des pommes de terre, décide l'aîné du groupe. Claude ? Tu me donnes un coup de main ?

— Oui, François, je te rejoins dans une minute... répond la jeune fille, l'air absent.

Soudain, elle secoue la tête, comme pour chasser les mauvaises pensées de son esprit. Elle retrouve le sourire et se lève d'un bond.

— Allez, hop ! Préparons notre festin ! Je ne vais quand même pas laisser Dumoutier et Tessier gâcher mes vacances !

chapitre 4

Les forains arrivent

Le reste de la journée se passe très bien.
Les Cinq se sentent pleins d'entrain.
Dagobert se montre dynamique et enthou-
siaste. Il chasse les lapins, courant à travers champs, montant et descendant la
colline, jusqu'à épuisement. Il reparaît
vers quatre heures et se laisse tomber aux
pieds de ses jeunes maîtres, la langue pen-
dante.

— J'ai chaud rien qu'à te regarder,
déclare Annie en le repoussant. Tu es tout
fumant ! Un de ces jours, Dago, tu vas
exploser !

Ils vont faire une promenade, mais n'atteignent pas la mer. Ils l'aperçoivent de loin, d'une hauteur. Elle a ce bleu intense des jours exceptionnellement beaux. De petits bateaux aux voiles blanches ressemblent à des cygnes battant des ailes.

Les jeunes vacanciers goûtent dans une ferme, sous le regard curieux des deux enfants de la maison.

— Voulez-vous emporter quelques pots de la confiture que je fais moi-même avec les fruits de mon verger ? demande l'aimable fermière.

— Oh ! oui ! se réjouit Mick. Vous pouvez aussi nous vendre un morceau de ce gros gâteau ? On campe sur une colline, près de Château-Mauclerc. Ce n'est pas très facile de se ravitailler.

— Prenez tout le gâteau ! répond la femme. J'en ai fait plusieurs hier. Et, tenez, voici du jambon. J'ai aussi d'excellents cornichons pour l'accompagner.

C'est merveilleux ! Les Cinq achètent tout ce que propose la paysanne, pour un prix très abordable, et emportent leurs provisions.

Mick soulève le couvercle du bocal de cornichons et respire leur odeur.

— Mmm... fait-il.

Dagobert prend un air dégoûté.

Quand ils sont en vue du terrain de camping, le soleil est bas à l'horizon. L'étoile du Berger brille déjà d'un vif éclat. Tout à coup, François s'arrête net.

— Regardez, dit-il. Il y a deux nouvelles roulottes sur notre terrain. Elles sont plus modernes que les nôtres... Je me demande si elles appartiennent à la troupe qu'on nous a annoncée...

— Oh ! Et voilà une autre caravane qui approche, ajoute Annie.

En arrivant près de leurs propres véhicules, les enfants jettent un coup d'œil curieux à celle qui vient de s'installer près d'eux. Elle est jaune, à bandes noires, et la peinture est un peu écaillée. Les portes et les fenêtres sont fermées.

— Tiens, il y a une grande caisse des-

41

sous, observe Claude. Qu'est-ce qu'elle peut bien contenir ?

Le coffre est long, large et plat. Sur les côtés, il y a des trous ronds, percés à intervalles réguliers. La jeune fille se penche sur l'objet. Dagobert la suit, et flaire par les orifices.

Aussitôt, il se rejette en arrière et se met à aboyer rageusement. Sa maîtresse le saisit par le collier, veut l'écarter et le faire taire, mais il refuse d'obéir.

On entend un bruit qui vient de l'intérieur de la caisse, une sorte de frôlement, de glissement, qui fait rugir le chien encore plus fort.

— Tais-toi, Dago, tais-toi ! crie Claude tirant toujours son compagnon par le collier. François ! Mick ! Venez m'aider ! Il y a quelque chose dans cette caisse qui effraie Dagobert !

De l'autre bout du champ, une voix furieuse s'élève soudain.

— Hé ! vous là-bas ! Éloignez cette

bête tout de suite ! Vous allez faire peur à mes serpents !

— Des serpents ! s'écrie Annie en tournant précipitamment les talons pour regagner sa roulotte.

François, Mick et Claude réussissent à ramener le chien dans la bonne direction, en l'étranglant presque avec son collier. La voix coléreuse se fait maintenant entendre derrière eux. Les enfants se retournent et voient un petit homme brun, âgé d'environ quarante ans, avec des yeux noirs très brillants. Il montre le poing et vocifère encore.

— Excusez-nous, répond Claude. On ne pouvait pas savoir. Mais s'il vous plaît, arrêtez de hurler comme ça, ou Dagobert sautera sur vous !

— Dagobert ? C'est cet animal ? Non seulement votre molosse vient exciter mes serpents mais en plus il veut me sauter à la gorge ? s'égosille l'inconnu, hors de lui et dansant d'un pied sur l'autre comme un boxeur. Attendez un peu que je lâche mes serpents, et alors votre chien se sauvera si loin que vous ne le reverrez jamais !

C'est une menace très inquiétante. D'un dernier effort, François, Mick et Claude parviennent enfin à faire gravir à Dagobert les marches de la roulotte des filles, et referment la porte sur lui. Annie essaie de le calmer, pendant que les autres restent dehors pour tenter d'apaiser le dresseur de serpents.

Ce dernier tire à lui l'étrange caisse, et ôte le couvercle. Les trois enfants observent, fascinés. Quelle sorte de serpents a-t-il là-dedans ? Des serpents à sonnettes ? Des cobras ? Ils sont prêts à battre en retraite précipitamment, dans le cas où les reptiles se montreraient aussi méchants que leur propriétaire.

Une grosse tête plate sort du coffre et se balance d'un côté et de l'autre. Deux yeux sombres, fixes, brillent, puis un interminable corps cylindrique glisse hors de son abri et s'enroule autour des jambes, puis autour de la poitrine et du cou de son

44

maître. Celui-ci caresse le reptile, lui parle d'une voix douce et affectueuse.

Claude frissonne. Les garçons regardent, stupéfaits.

— C'est un python, murmure Mick. Quelle énorme bête ! Je n'en avais jamais vu de si près. Vous imaginez s'il resserre ses anneaux ? Il peut étouffer ce monsieur !

Un second serpent sort lentement de la caisse. Il s'enroule aussi autour du dresseur, en émettant un sifflement bizarre. Son corps est plus gros que la jambe de François.

Annie observe la scène de la fenêtre de sa roulotte, et n'en croit pas ses yeux. Ces animaux sont fascinants... et terrifiants.

Le maître réussit à calmer ses serpents. Ceux-ci le dissimulent presque entièrement dans leurs anneaux. De chaque côté de son cou, on voit une tête de reptile, plate et brillante.

Dagobert vient mettre le nez à la fenêtre, près de la benjamine du Club des Cinq. Il

45

est ahuri à la vue de ces étranges bêtes, et cesse aussitôt d'aboyer. Effrayé, il va se réfugier sous la petite table.

L'homme caresse les pythons et, tout en continuant de leur parler doucement, les fait rentrer dans leur caisse. Les serpents glissent lentement et s'enroulent à l'intérieur du coffre, un anneau après l'autre. Le saltimbanque pose le couvercle et le ferme à clef. Puis il se tourne vers les trois enfants :

— Vous avez vu à quel point vous avez énervé mes serpents ? Maintenant, je vous défends d'approcher ! Et arrangez-vous pour que votre chien reste à l'écart, lui aussi. Ah ! Les gosses ! Il faut toujours qu'ils s'occupent des affaires des autres. Je n'aime pas les enfants, moi ! Et mes bêtes non plus, elles ne peuvent pas les sentir ! Défense d'approcher ! Compris ?

Il hurle les derniers mots de telle sorte que Mick, Claude et François sursautent.

— Écoutez, tente l'aîné. On est désolés que Dagobert ait effrayé vos reptiles...

Vous savez bien que les chiens aboient toujours quand ils voient des choses qu'ils ne comprennent pas ou qu'ils ne connaissent pas. C'est normal.

— Je déteste aussi les chiens ! lance le dresseur de serpents en rentrant dans sa roulotte. Vous vous arrangerez pour que le vôtre ne rôde pas par ici, particulièrement quand je sors mes pythons, sinon l'un d'eux pourrait le serrer un peu trop fort !

Il disparaît en faisant claquer la porte.

— Dommage ! commente Mick. Nos relations avec les saltimbanques débutent mal. Moi qui espérais qu'on serait amis et qu'ils nous apprendraient quelques-uns de leurs tours...

— Avez-vous entendu ce qu'a dit ce type ? demande Claude, scandalisée. Être serré un peu trop fort par un serpent signifierait la mort pour Dagobert !

— Oui, il faudra s'assurer que ton chien soit enfermé chaque fois qu'on verra ce monsieur sortir ses protégés de leur

47

caisse ! répond François. Il semble vraiment les aimer, hein ?

Son frère acquiesce et tourne la tête en direction des caravanes des forains.

— Vous pensez qu'on va voir sortir des gorilles ou des lions, ou.... Oh ! Et voilà la caravane qu'on a aperçue de loin tout à l'heure !

Elle arrive en cahotant, gravissant lentement la pente. On peut lire sur le côté cette inscription en grosses lettres rouges :

VALENTIN,
L'HOMME-CAOUTCHOUC.

— Si ça se trouve, avance Claude, le conducteur est l'homme-caoutchouc lui-même...

Les trois jeunes campeurs braquent leurs regards sur le nouvel arrivant. Il est grand, mince et se tient courbé. Il paraît si triste qu'on le dirait sur le point de se mettre à pleurer.

48

— Oui, c'est sûrement lui, chuchote Mick. Vous avez vu sa silhouette ?

L'individu descend de sa caravane d'un bond souple et gracieux, qui contraste avec son long corps dégingandé.

— Ohé ! Buffalo, tu es là ? appelle-t-il.

La porte de la première roulotte s'ouvre, et un jeune homme paraît, presque un géant, avec une touffe de cheveux roux, une chemise verte à carreaux, et un large sourire.

— Salut, Valentin ! répond-il. On est arrivés les premiers. Viens avec nous, Fanny et moi venons tout juste de commencer à dîner !

L'homme-caoutchouc gravit, lugubre, les degrés de la roulotte de son ami. La porte se referme sur eux.

— Eh bien ! Notre nouveau voisinage est très original ! constate Mick. Un homme-caoutchouc et un dresseur de serpents... Buffalo et une certaine Fanny... Je me demande si on aura d'autres surprises !

Annie les appelle :

— Venez me rejoindre ! Dagobert n'arrête pas de gémir !

Ils regagnent la roulotte et Claude tente de réconforter le malheureux chien. Puis, tous ensemble, les jeunes campeurs préparent un repas simple : du jambon, des pâtes au fromage, des oranges.

— Il me faut un cornichon avec mon jambon ! déclare Mick.

Ils se mettent à table, et attaquent les produits de la ferme avec appétit.

chapitre 5

De surprise en surprise

Les Cinq parlent beaucoup de leurs nouveaux voisins pendant le dîner. Dagobert s'assied à côté de Claude et essaie de lui faire comprendre qu'il regrette de lui avoir causé des ennuis. Elle le caresse et le gronde à la fois :

— Je comprends très bien que tu n'aimes pas les serpents, Dago, mais quand je te dis de cesser d'aboyer et de t'éloigner, tu dois obéir. Tu comprends ?

Le chien pose sa grosse tête sur les genoux de sa maîtresse et pousse un long gémissement.

— Il n'aura plus cnvic dc s'approcher

de cette caisse, maintenant qu'il en connaît le contenu, estime Annie.

— C'est dommage que notre premier contact avec les forains ait été aussi houleux, soupire François.

— Tiens, l'interrompt sa cousine, je crois que j'entends d'autres caravanes sur le chemin.

Dagobert pointe les oreilles et grogne.

— Calme-toi, Dag ! Ce terrain de camping ne nous est pas spécialement réservé, tu sais...

Mick s'approche de la fenêtre et distingue des ombres dans l'obscurité ; une frêle silhouette est penchée sur un feu de camp.

— Nous aussi, on pourrait allumer un feu... fait observer le jeune garçon. Enfin, ce soir je me sens tellement fatigué que je préfère me coucher.

— Moi aussi, j'ai sommeil, renchérit Annie en écrasant un bâillement.

— Au fait, intervient François. S'il ne reste plus d'eau dans les bouteilles, il faut aller les remplir au ruisseau maintenant. Je n'ai pas l'intention de traverser ce champ obscur en pleine nuit pour tomber sur des serpents qui pourraient se promener dans l'herbe !

— Tu crois que les saltimbanques laisseraient leurs reptiles en liberté ? questionne sa sœur anxieusement.

— Bien sûr que non, répond François. Je plaisantais. De toute façon, Dagobert aboiera comme un fou s'il détecte le moindre bruit de python ! Il n'y a donc pas de souci à se faire !

Les garçons souhaitent bonne nuit aux filles et se retirent dans leur propre roulotte.

Annie montre à sa cousine comment déplier et disposer son lit pour la nuit.

— On n'a pas d'oreiller ? demande Claude. Ah, si ! Je vais utiliser un de ces coussins !

Toutes deux retirent les housses des coussins posés sur les chaises ; elles en sortent de petits oreillers très doux, recouverts de leur taie, prêts pour la nuit.

Puis elles se déshabillent, se brossent les cheveux et se lavent les dents avec l'eau rapportée du ruisseau.

Dagobert pointe les oreilles et écoute. Il lui faut s'habituer à toutes sortes de bruits nouveaux, dans cette étroite demeure !

— Tu as une lampe de poche ? demande Annie quand elles sont couchées. Ça te sera utile si tu as besoin de quelque chose pendant la nuit.

Il faut plusieurs minutes à Dagobert pour comprendre que Claude va dormir sur cette couchette étroite, fixée à la cloison. Il saute enfin sur les jambes de sa jeune maîtresse, qui proteste :

— Oh ! Dago, sois moins brusque ! Pousse-toi plus loin !

Le pauvre animal trouve ce lit très inconfortable. Enfin, il s'arrange pour se mettre en rond dans un petit espace, exhale un profond soupir et s'endort... tout en gardant une oreille aux aguets.

Un merle niché dans l'aubépine réveille le chien de bonne heure avec son chant mélodieux. Dagobert s'étire et marche lourdement sur sa maîtresse qui sursaute, brusquement arrachée à son rêve.

Tout d'abord, elle se demande où elle est, puis elle se souvient et sourit. Bien sûr, dans une roulotte, avec Annie. Comme le sifflement du merle est joli ! Un rayon de soleil se glisse de biais par la fenêtre et éclaire le vase de primevères.

Dagobert se recouche. Après tout, si Claude n'est pas prête à se lever, alors lui non plus ! La jeune fille ferme les yeux et se rendort.

Au-dehors le camp commence à s'agiter. Les portes des caravanes s'ouvrent. On allume des réchauds. Quelqu'un descend au ruisseau pour chercher de l'eau.

À huit heures, les garçons viennent frapper à la porte des filles.

— Allez, debout, paresseuses !

Bientôt, ils sont tous réunis sur les marches pour le petit déjeuner.

— On dirait qu'il est arrivé beaucoup de nouvelles roulottes cette nuit ! constate Claude en mordant dans une tartine à la confiture de fraises.

Tous examinent le champ. À côté des roulottes du charmeur de serpents, de Buffalo et de l'homme-caoutchouc, il y en a quatre autres. L'une d'elles attire spécialement l'attention des enfants. Elle est d'un jaune éclatant, ornée de flammes rouges peintes. Sur le côté, on peut lire :

ALFREDO, LE CRACHEUR DE FEU

— C'est sûrement une espèce de grand gaillard féroce, déclare Mick. À tous les coups, il a une voix tonnante et une démarche de géant !

— Tu te l'imagines comme dans les films ! le raille Claude. En fait, ce sera probablement un petit homme maigre qui trotte comme un poney !

— Eh ! Une femme sort de sa roulotte, l'interrompt Annie. C'est sans doute son épouse... Comme elle est petite et mince ! Et vous avez vu ses longs cheveux épais ? J'aimerais avoir une aussi belle chevelure...

— Regardez ! coupe François. Voilà l'avaleur de feu ! Oui, ce ne peut être que lui ! Il est exactement comme tu le décrivais, Mick ! c'est drôle !

Un homme très grand et fort descend les marches de sa caravane. Il a l'air terrible, en effet, avec sa chevelure fauve qui rappelle la crinière d'un lion, sa large face, et ses gros yeux, vifs et brillants. Il marche à grands pas, et sa minuscule femme doit courir pour le rattraper.

— C'est vrai, il répond exactement à l'idée que je me faisais d'un mangeur de feu, reconnaît le jeune garçon, ravi. Il vaut mieux nous tenir à l'écart jusqu'à ce que nous sachions s'il déteste les enfants, comme l'homme aux serpents.

— Il y a quelqu'un d'autre là-bas,

signale Claude. Qui ça peut être ? Vous le voyez descendre au ruisseau ? On dirait presque un tigre ou un chat qui se promène... Il paraît souple et fort !

— C'est Valentin, l'homme-caoutchouc, voyons ! s'écrie sa cousine.

C'est très divertissant d'observer les nouveaux arrivants. Ils semblent tous se connaître. Ils s'arrêtent pour causer, rient, se rendent visite d'une caravane à l'autre ; finalement, trois d'entre eux s'éloignent ensemble, avec leur panier au bras.

— Ils s'en vont faire leur marché, observe François. Il faudrait qu'on pense au nôtre. On pourrait se rendre au village ce matin. Il y a un car qui y descend dans dix minutes. Qui veut m'accompagner ?

— Moi, répond Claude. J'ai besoin de me dégourdir les jambes.

— Je reste ici, intervient Mick en s'étirant comme un chat. J'en envie de lézarder au soleil, ce matin ! Annie, tu veux me tenir compagnie ?

— D'accord, acquiesce sa sœur.

— Alors à tout à l'heure ! lance l'aîné du groupe.

— N'oubliez pas d'acheter du lait et du jus de fruits ! crie Annie en les regardant s'éloigner. Et des crêpes bretonnes !

Claude et François font un signe d'approbation sans se retourner et disparaissent au coin du chemin, Dagobert sur les talons.

chapitre 6

Un drôle
de voisinage...

En l'absence de leurs compagnons,
Mick et Annie décident d'aller chercher de
l'eau et ramasser du bois pour le feu. Puis
ils font leurs lits, c'est-à-dire qu'ils se
contentent de relever la couchette contre
la cloison.

Après cela, ils s'installent à nouveau sur
les marches de la roulotte des filles. Ils
écoutent un peu de musique grâce au petit
poste de radio, puis ils décident de se promener dans le champ. Ils veillent bien à
se tenir à bonne distance du dresseur de
serpents, qui s'occupe justement de ses
pensionnaires.

— On dirait qu'il est en train de les astiquer ! murmure Mick. J'aimerais bien m'approcher pour mieux voir, mais ce type a si mauvais caractère qu'il serait capable de lâcher une de ces horribles bêtes contre nous.

Le saltimbanque est assis sur une chaise ; il frotte énergiquement le corps écailleux d'un python installé sur ses genoux. La tête plate aux yeux luisants passe sous son bras et quelques anneaux s'enroulent mollement autour de ses jambes. Le reptile paraît très satisfait de ce traitement curieux.

Un peu plus loin, Buffalo répète son numéro. À sa ceinture est accroché un petit poignard brillant. Il tient à la main un fouet au manche magnifique, orné de pierres fines de toutes les couleurs, qui étincellent au soleil.

— Regarde la lanière, dit Annie, elle mesure plusieurs mètres ! Je voudrais bien le voir s'en servir !

Comme s'il avait entendu, le géant aux

cheveux roux lève son grand instrument, la sangle fend l'air et fait entendre un claquement semblable à un coup de pistolet. Les enfants sursautent, tant ils sont surpris.

À cet instant, une jeune femme, assez forte, paraît à la porte de la caravane.

— Tu as réparé ton fouet ? demande-t-elle.

— Je crois que oui, répond Buffalo. On va essayer avec un morceau de bois.

Fanny se baisse et ramasse dans l'herbe une petite branche de chêne longue d'une dizaine de centimètres. Puis, elle remonte les marches de sa roulotte et se poste devant la porte. Elle prend le bout de bois entre le pouce et l'index, le tient en l'air.

Son compagnon fait claquer son fouet. Le morceau de chêne disparaît comme par magie !

Mick et Annie n'en croient pas leurs yeux. Le bout de la lanière a-t-il vraiment enlevé la branche des doigts de Fanny ? Cela semble impossible.

— Bien ! commente l'artiste. Recommençons.

La jeune femme ramasse un autre bout de bois. Le fouet claque de nouveau comme un coup de pistolet, et une fois encore la tige disparaît de ses doigts.

— Oh ! Tu l'as coupée en deux ! s'exclame-t-elle. Bravo ! Quelle précision ! On dirait que ton fouet est en état, maintenant !

Buffalo sourit et se remet à façonner sa lanière. Les enfants meurent d'envie de voir ce qu'il fabrique, et s'approchent sans bruit.

Mais ils n'ont pas fait cinq mètres, que, sans même se retourner, le jeune homme leur lance d'une voix forte :

— Éloignez-vous ! Il est interdit aux enfants de rester ici. Partez, ou je vous arrache quelques cheveux de la tête avec mon fouet !

Le frère et la sœur ne doutent pas un instant qu'il soit capable de mettre sa menace à exécution, et ils obéissent aussitôt.

— Décidément, ces saltimbanques n'ont pas l'air de beaucoup nous aimer, constate Annie. Espérons qu'on ne finira pas par se brouiller avec toute la troupe !

Ils traversent le champ et rencontrent l'homme-caoutchouc. Ils ne peuvent s'empêcher de le dévisager avec insistance. Il paraît en effet élastique et sa peau même est grisâtre, comme les gommes d'écoliers !

Il fronce les sourcils et dit d'un ton rogue :

— Filez ! Les enfants n'ont rien à faire dans notre campement !

Mick est très contrarié. Il répond :

— Je vous signale que nous sommes sur un terrain de camping public ! Ce champ ne vous appartient pas !

— Bien sûr que si ! rétorque Valentin. Ce champ a toujours été *notre* champ. Vous feriez mieux d'aller installer vos roulottes ailleurs.

— Hein ? s'indigne le jeune garçon. Mais pourquoi souhaitez-vous notre départ ? On ne vous causera aucun souci ! On veut vivre en bons termes avec nos voisins, vous savez.

— Il faudra quand même que vous cherchiez un autre emplacement pour camper. Il n'y a pas assez de place ici pour tout le monde. De jeunes vacanciers comme vous ne peuvent pas cohabiter avec une troupe de forains. On est là pour travailler, pour répéter nos numéros, pas pour se reposer au soleil !

— On ne vous dérangera pas, assure Mick en regardant l'homme avec curiosité. Mais dites-nous... vous êtes vraiment élastique au point de pouvoir rentrer et sortir d'un tuyau ?

Il n'a pas le temps d'achever sa phrase, car l'homme-caoutchouc se jette brusquement à terre, fait quelques étranges contorsions, passe entre les jambes du garçon, qui se trouve plaqué au sol. Puis, satisfait de lui, il s'éloigne.

— Oh ! Tu ne t'es pas fait mal ? s'écrie Annie en se précipitant vers son frère. Décidément, ces forains sont vraiment intolérants ! On dirait qu'ils se sont tous ligués contre nous ! Moi qui espérais qu'on pourrait s'en faire des amis....

Ils n'osent plus approcher des autres roulottes, malgré leur envie de voir de plus près Alfredo, le cracheur de feu.

— Cet homme ressemble parfaitement à l'image que je me faisais d'un avaleur de flammes ! souligne Mick. Il est sans doute le chef de tous les saltimbanques réunis ici.

— Regarde ! souffle sa sœur. Il vient vers nous !

En effet, Alfredo arrive en courant dans la direction des enfants, qui restent immobiles. Ils ne sont pas rassurés, devant ce géant qui fond sur eux, les joues rouges comme du feu et la crinière au vent !

Soudain, ils comprennent pourquoi

l'homme court à toutes jambes. Derrière lui surgit sa toute petite femme. Elle le traite de tous les noms, et le poursuit, armée d'une casserole !

Alfredo passe en trombe auprès des jeunes campeurs. Sa prédatrice le regarde partir. Il se retourne pour voir si elle brandit toujours son arme, puis disparaît dans le chemin qui descend au village.

— Grand vaurien ! crie son épouse. Tu as laissé brûler le déjeuner une fois de plus ! Viens ici, Alfredo !

Mais le mari court toujours. La coléreuse petite femme se retourne vers les deux enfants :

— Il a encore laissé brûler le déjeuner ! Il ne fait jamais attention !

— C'est un accident bizarre, pour un mangeur de feu, remarque Annie.

— Avaler du feu, c'est facile, mais faire la cuisine, c'est autre chose ! Il faut un peu réfléchir. Mais Fredo n'a pas de cervelle, et il est d'une maladresse ! Avaler du feu, voilà tout ce qu'il sait faire. Je vous demande un peu à quoi ça sert ?

— À gagner de l'argent, sans doute, suggère Mick, amusé.

— C'est un bon à rien, décrète la petite femme d'un ton sans réplique.

Elle s'éloigne, puis se retourne et ajoute avec un sourire :

— Mais ça ne l'empêche pas d'être très gentil !

Elle rentre dans sa caravane.

— Pauvre Alfredo ! juge Annie. Il a l'air brave comme un lion et il a la taille d'un colosse, mais, en fait, il est timide comme une souris. C'est drôle de le voir se sauver devant ce petit bout de femme, non ?

— Peut-être que j'en ferais autant si elle me poursuivait en brandissant cette casserole. En tout cas, j'ai l'impression qu'il vaut mieux nous tenir sur nos gardes. Dans l'ensemble, nos voisins ne paraissent pas tellement apprécier notre présence sur ce terrain de camping. On ferait mieux de se tenir à l'écart jusqu'à ce qu'ils soient habitués à nous. Ils changeront peut-être d'attitude.

— Allons à la rencontre de François et Claude, propose la fillette.

Quand ils arrivent à l'arrêt de bus, celui-ci gravit péniblement la colline. Bientôt les deux cousins mettent pied à terre.

— On a acheté un tas de choses ! s'écrie l'aîné. Nos sacs sont lourds. Merci, Mick, c'est gentil de prendre le mien. Au fait, dans le car, on a essayé de discuter avec trois forains qui se rendaient au village, mais sans aucun succès. C'était presque gênant. Dagobert grognait, ce qui n'arrangeait rien.

— On n'a pas eu plus de chance que vous, ajoute son frère. L'homme-caout-chouc et Buffalo ne souhaitent qu'une chose : nous voir décamper.

— Je meurs de faim, intervient Claude. Si on préparait le déjeuner ?

Dagobert connaît très bien le mot

« déjeuner ». Il aboie joyeusement, et montre le chemin. Déjeuner ? Oui, vraiment, quelle bonne idée !

chapitre 7

Une grosse émotion

Le repas des jeunes campeurs se compose d'une salade de tomates, de côtelettes d'agneau grillées, de pommes de terre sautées, et d'abricots en conserve. Après le déjeuner, les enfants allument la radio et écoutent un programme musical. À quatorze heures, ils tendent l'oreille pour entendre les actualités : il est question, une nouvelle fois, des deux savants disparus.

« La police n'a toujours pas retrouvé la trace de Marcel Dumoutier, ni d'Antoine Tessier. On sait toutefois que les agents

concentrent maintenant leur enquête sur la Bretagne, en particulier la zone côtière », annonce le commentateur.

Mick éteint le poste.

— Je me demande si les gendarmes réussiront un jour à mettre la main sur ces deux hommes, confie-t-il. Si ça se trouve, Dumoutier et Tessier sont à des milliers de kilomètres d'ici, à l'heure qu'il est...

— Je ferais mieux d'aller téléphoner à maman, annonce Claude. Je lui ai promis que je lui donnerais des nouvelles de ma santé. Et puis je lui demanderai ce que pense papa de toute cette affaire.

La jeune fille se rend à la cabine téléphonique située à l'entrée du terrain de camping, et s'y enferme pendant dix minutes.

Lorsqu'elle revient, son regard est sombre.

— Maman m'a dit que papa était bouleversé à cause de la disparition des deux savants. Il connaît très bien Marcel

Dumoutier, et a même travaillé avec lui pendant quelque temps. Il dit qu'il est absolument sûr qu'un tel homme n'est pas un traître. À son avis, Dumoutier et Tessier ont été enlevés, probablement à bord d'un avion, et transportés dans un pays étranger qui les obligera à livrer leurs secrets. Papa est hors de lui ; il répète vingt fois par jour : « Où va le monde ? »

— Cette histoire est vraiment étrange, vous ne trouvez pas ? demande François. Après tout, Marcel Dumoutier comptait bien quitter le pays, puisqu'il avait pris son billet d'avion ! Malgré ce qu'en pense ton père, c'est suspect !

— C'est vrai, acquiesce sa cousine, l'air très concentré. Vous savez quoi ? Je pense qu'on devrait mener notre propre investigation. Le journaliste a bien dit que la police allait concentrer son enquête sur la côte bretonne ? Eh bien, c'est justement là qu'on se trouve !

— Je crois qu'on devrait laisser faire les gendarmes... avance timidement Annie.

— Ah oui ? rétorque la jeune fille. Pourtant, je n'ai pas l'impression qu'ils soient très efficaces ! Ça fait quand même trois jours que les savants ont disparu ! Moi, je crois que tant que Dumoutier et Tessier n'auront pas été retrouvés, papa sera en danger...

Il y a un silence.

Puis François prend la parole :

— Je suis d'accord avec Claude. Après tout, rien ne nous empêche de mener notre propre enquête. Peut-être même que nos recherches aideront la police. Pour commencer, je propose qu'on se familiarise avec la région. On pourrait aller en car jusqu'à Plodergat, puis continuer la route à pied jusqu'à la mer. Ça nous permettrait de faire une belle balade, en plus ! Il fait tellement beau...

— Bonne idée ! répondent les autres.

Ils lavent la vaisselle, puis ferment les deux roulottes et sortent. Mick se retourne pour jeter un coup d'œil du côté des saltimbanques. Quelques-uns d'entre eux se sont rassemblés et prennent leur repas en commun. Ils regardent fixement les enfants sans dire un mot, ce qui provoque chez ces derniers un sentiment de malaise.

— C'est évident qu'on ne leur plaît pas, soupire Annie.

— Dagobert, surtout, n'accepte rien de ces gens ! prévient Claude.

— Tu crois qu'ils iraient jusqu'à faire du mal à notre chien ? interroge Annie, inquiète.

— Il vaut mieux se montrer prudents, répond sa cousine d'une voix ferme. Dag, tant qu'on séjournera ici, tu resteras sur mes talons. Compris ?

— Wouf ! wouf ! fait l'animal en se rapprochant de telle sorte que son nez bute contre l'un des mollets de sa jeune maîtresse.

Lorsqu'ils approchent de la station, les jeunes vacanciers s'aperçoivent que le car pour Plodergat est sur le point de partir. Ils courent pour l'attraper. Le voyage n'est pas long ; quatre kilomètres seulement les séparent de Plodergat, un joli petit village avec un étang où nagent des canards.

La promenade est charmante. Les enfants passent par des chemins bordés de violettes, puis à travers des champs piquetés de clochettes et de primevères.

— Enfin, la mer ! Oh ! que cette crique est jolie ! s'exclame Annie, ravie. Comme l'eau est bleue ! On pourrait presque s'y baigner !

— La mer est glacée en cette saison, dit François. Venez ! Allons voir les bateaux de pêche.

Ils gagnent la jetée de pierre blanche, inondée de lumière, et conversent avec les pêcheurs. Quelques-uns sont assis au soleil, en train de réparer leurs filets et ne demandent pas mieux que de faire un brin de causette.

Un homme les fait monter sur son bateau et leur explique une foule de choses. Ils écoutent parler longuement le vieux monsieur, qui a des yeux bleus expressifs et un visage tanné.

— Ce serait possible de louer un bateau si on en avait envie ? questionne Mick. Un qui serait facile à manœuvrer ? On a déjà fait un peu de navigation à voile.

— Demandez donc à Joseph, là-bas, de l'autre côté de la jetée. Il a un canot qu'il loue quelquefois, répond le marin. Il acceptera sans doute de vous le confier si vous savez vraiment vous en servir.

— Merci. On s'adressera à lui, à l'occasion, dit François.

— Où campez-vous ? demande le pêcheur.

— À Château-Mauclerc, jusqu'à la fin des vacances.

— Tiens ! s'exclame le vieil homme. N'y a-t-il pas des saltimbanques, là-bas, en ce moment ? Ils étaient ici la semaine dernière. Le cracheur de feu est stupéfiant ! Et il y a un autre type étonnant, un contorsionniste : je l'ai ficelé moi-même avec cette ligne dont je me sers pour le gros poisson. Regardez-la ! Elle est deux fois plus solide qu'une corde. Je l'ai attaché en faisant tous les nœuds que je connais. Eh ben, en l'espace d'une minute, il s'est tordu dans tous les sens et s'est libéré de ses liens !

— On ira sûrement à leur représentation, réagit Mick. Mais, pour le moment, on ne peut pas dire qu'ils se montrent très sociables avec nous. Ils sont mécontents qu'on soit installés dans leur champ.

Les enfants disent au revoir au pêcheur et s'éloignent. Ils achètent un goûter dans une petite boulangerie du village et prennent le chemin du retour.

— On peut facilement rentrer à pied avant la nuit, estime l'aîné du groupe. À moins que vous ne soyez trop fatiguées, les filles ?

— Comment ça, fatiguées ? s'exclame Claude, outrée. On n'est pas plus fatiguées que vous !

— C'est bon, c'est bon, je demandais ça pour te taquiner, pouffe son cousin.

La route leur paraît plus longue que prévu. Il commence à faire sombre quand ils arrivent enfin en vue du terrain de camping. Ils grimpent lentement la côte et se dirigent vers leur emplacement habituel.

Soudain, ils s'arrêtent, éberlués. Ils regardent tout autour d'eux et doivent se rendre à l'évidence : leurs roulottes ont disparu !

— C'est pas possible ! s'écrie François.

— Comment ont-elles pu partir d'ici ? interroge Annie.

Il y a un silence. Les quatre campeurs sont bouleversés.

— Regardez, il y a des traces de roues sur le sol, dit soudain Mick. Nos caravanes sont descendues dans cette direction sans aucun doute !

Les enfants et Dagobert suivent les sillons. Claude se retourne d'un coup, sentant qu'on les observe. Mais personne ne se montre.

« Je suis sûre que les forains nous surveillent derrière les rideaux de leurs roulottes », pense la jeune fille, mal à l'aise.

81

Les empreintes traversent le champ et conduisent au chemin, où elles se perdent.

— Qu'est-ce qu'on va faire ? murmure Annie, effrayée. On n'a plus de toit pour s'abriter ! Qu'est-ce qu'on va devenir ?

chapitre 8

Où sont les roulottes ?

— On devrait peut-être avertir la police, déclare François après réflexion. Les policiers rechercheront nos roulottes et arrêteront les voleurs. Ils ne pourront aller bien loin avec des voitures si voyantes ! En attendant, il faut trouver un endroit pour passer la nuit.

— À mon avis, on devrait d'abord en parler avec les saltimbanques, tempère Mick. Même s'ils ne sont pour rien dans le vol, ils ont certainement vu partir les caravanes !

— Tu as raison, intervient sa sœur. Ils savent sûrement quelque chose. Mais

83

emmenons Dagobert avec nous, c'est plus prudent.

Les quatre jeunes campeurs se dirigent vers le camp des forains, suivis du brave Dago.

— N'allons pas voir le dresseur de serpents, suggère Claude. Il est peut-être en train de jouer avec ses pythons dans sa roulotte !

— Regardez, il y a quelqu'un là-bas près d'un feu de camp, dit François. C'est Buffalo, je crois... Non, c'est Alfredo. On sait qu'il n'est pas si méchant qu'il le paraît. Interrogeons-le !

Le cracheur de feu, perdu dans un songe, ne les entend pas approcher et sursaute quand Mick lui adresse la parole.

— Monsieur Alfredo, commence le jeune garçon, pouvez-vous nous dire où sont parties nos roulottes ?

— Demandez à Buffalo, répond le saltimbanque d'un ton bourru, sans le regarder.

— Mais... vous ne savez rien à leur sujet ? insiste Claude.

— Demandez à Buffalo, répète l'homme.

Les enfants tournent les talons, mécontents, et se dirigent vers le véhicule du forain. Elle est fermée. Ils frappent à la porte et le jeune artiste paraît, avec sa touffe de cheveux roux flamboyant à la lumière de la lampe.

— Bonsoir, dit François poliment, M. Alfredo nous a dit de venir vous voir et de vous demander ce qu'étaient devenues nos roulottes, et...

— Allez voir Valentin, jette Buffalo.

Et il leur claque la porte au nez. Mick sent la colère le gagner. Il frappe de nouveau. La fenêtre s'ouvre et Fanny se montre dans l'encadrement.

— Demandez à Valentin, l'homme-caoutchouc ! leur crie-t-elle.

Elle referme la vitre avec un rire étouffé.

— Je crois qu'ils nous jouent une mauvaise farce... déclare Annie.

— Oui, acquiesce sa cousine. J'en ai bien l'impression ! Essayons de parler à l'homme-caoutchouc. C'est le mieux qu'on puisse faire, non ? Venez ! C'est notre dernière tentative auprès des saltimbanques, en tout cas !

Ils se dirigent vers la caravane de Valentin, et frappent à la porte.

— Qui est là ?

— C'est vos voisins ! répond François. On a quelque chose à vous demander !

— Qui ?

— Vous savez très bien ! On nous a volé nos roulottes, et on veut savoir qui les a prises. Si vous refusez de nous aider, on va se plaindre à la police !

La porte s'ouvre et l'homme-caoutchouc, du haut de ses marches, regarde les enfants.

— Personne ne les a volées, lance-t-il d'une voix coléreuse. Personne ! Allez demander au dresseur de serpents !

— Si vous croyez qu'on va faire le tour du camp pour interroger chacun de vous,

86

eh bien, vous vous trompez ! s'énerve Claude. Nous voulons être vos amis, et vous nous traitez en ennemis ! Cette histoire est stupide ! Sans roulottes, on n'a nulle part où dormir ! Si vous ne nous aidez pas, on sera obligés d'avertir la police !

— C'est bon, c'est bon... bougonne l'homme-caoutchouc. Vos caravanes n'ont pas été volées. Je vais vous montrer où elles sont.

Il rejoint les Cinq et marche devant eux, dans la demi-obscurité. Il traverse le champ et se dirige vers l'endroit où les véhicules étaient installés avant leur disparition.

— Vous nous emmenez où ? demande Mick. On sait que les roulottes ne sont pas là ! Ne vous moquez pas de nous ! Ça suffit pour aujourd'hui !

Valentin ne répond pas, mais continue d'avancer. Les enfants et Dagobert ne peuvent rien faire d'autre que de le suivre. Le chien donne des signes très nets de mécontentement. Il laisse échapper un gro-gnement sourd qui ne présage rien de bon. Pourtant, le saltimbanque n'y prête aucune attention. Annie ne peut s'empêcher de se dire que cet homme ne craint pas les chiens parce qu'ils ne peuvent mordre dans le caoutchouc !

Le forain va jusqu'à la haie qui longe un côté du champ, au-delà de l'endroit où les deux caravanes étaient précédemment installées. François commence à perdre patience. Il est sûr que les deux véhicules ont été amenés jusqu'au chemin – alors, pourquoi leur guide les conduit-il dans la direction opposée ?

L'homme-caoutchouc traverse la haie, et les jeunes campeurs le suivent. Alors, stu-péfaits, ils distinguent deux ombres qui se profilent dans le crépuscule : les roulottes !

— Ça alors ! s'exclame Claude, aba-sourdie. Qu'est-ce qui vous a pris de les mettre ici ?

— Nous ne voulons plus d'enfants dans notre voisinage, répond Valentin. Ils ne

88

font que des bêtises. Il y a trois semaines, nous avions parmi nous un camarade qui possédait une centaine de canaris dressés. Une nuit, des gamins ont ouvert toutes les cages et les ont laissés s'enfuir !

— Oh ! souffle Annie, apitoyée. Ces pauvres oiseaux ont dû mourir de faim... ils ne savent pas trouver eux-mêmes leur nourriture ! C'est bête et méchant. Mais nous, on ne ferait jamais une chose pareille !

— Nous ne permettons plus aux gosses de rester près de nous désormais, poursuit l'homme-caoutchouc. C'est pourquoi nous avons déplacé vos roulottes jusqu'au chemin, puis nous les avons remontées dans ce champ voisin du nôtre, en contournant la haie. On pensait que vous seriez de retour avant la nuit et que vous les verriez.

Là-dessus, le saltimbanque tourne les talons et disparaît sans ajouter un mot. Les enfants l'entendent se faufiler à travers la haie. Mick sort la clef de sa roulotte, monte les marches et ouvre la porte. Il cherche à tâtons dans l'obscurité et trouve sa lampe de poche. Il l'allume, examine les lieux. Rien n'a été dérangé. Le jeune garçon appelle ses compagnons.

— Valentin dit vrai, conclut-il. Juste une crise de mauvaise humeur de la part des saltimbanques. On paye pour ceux qui leur ont fait du tort, pour ces stupides gamins qui ont ouvert les cages des canaris.

— Je parie que le dresseur de serpents a peur qu'on rende la liberté à ses charmants pythons, ajoute sa sœur. Enfin, on a récupéré nos caravanes ! Je craignais qu'on ne soit obligés de dormir dans une meule de foin cette nuit !

— Ç'aurait pu être amusant... dit Claude.

— On va allumer un feu et préparer un bon dîner, décide François. Toutes ces émotions m'ont donné une faim de loup !

— Pas moi, reprend Annie. La pensée que les saltimbanques nous refusent leur amitié me coupe l'appétit. C'est vraiment dommage... Et d'ailleurs, vous êtes sûrs qu'on a le droit de laisser nos roulottes dans ce champ ? Ce n'est sans doute pas un terrain de camping.

— Tu as raison... répond Mick. Sans compter qu'on est maintenant bien loin du ruisseau !

— Pour ce soir, on restera ici, décide l'aîné des Cinq. Je n'ai aucune envie de m'aventurer dans les ténèbres, pour être exposé à toutes sortes de risques : me faire arracher les cheveux par Buffalo, ou marcher sur la queue d'un serpent ! Je suis sûr que les forains nous guettent...

Le dîner n'est pas gai. Les enfants n'ont aucune envie de se plaindre à la police pour cette histoire ridicule, mais s'ils ne sont pas autorisés à rester dans le champ, comment pourront-ils retourner à leur ancienne place ?

— Allons nous coucher, propose Claude, lorsqu'ils sont rassasiés. La nuit porte conseil. On va s'en sortir ! Courage !

91

— Wouf ! approuve Dagobert, ce qui fait rire tout le monde.

Les enfants rangent la vaisselle. Puis les filles souhaitent bonne nuit aux garçons et regagnent leur roulotte.

— J'ai peur que nos vacances ne soient ratées ! confie Annie à sa cousine en faisant son lit.

Cette dernière proteste énergiquement :

— Ratées ? Attends un peu et tu verras ! J'ai le sentiment qu'au contraire elles seront inoubliables !

chapitre 9

Une grande surprise

Le lendemain matin, alors que les garçons sont encore profondément endormis, quelqu'un frappe violemment à la porte de leur roulotte. Puis une grosse face rougeaude s'appuie contre la fenêtre, cherchant à voir ce qui se passe à l'intérieur. François ouvre les yeux ; il sursaute devant cette apparition inattendue.

— Qui vous a autorisés à camper ici ? demande l'épaisse figure, avec une expression peu rassurante.

L'aîné du Club des Cinq se lève et ouvre la porte. Il est en pyjama.

— Vous êtes le propriétaire de ce

champ ? questionne-t-il poliment. On était installés de l'autre côté de la haie, et....

— De l'autre côté, c'est un terrain de camping, l'interrompt l'homme d'un ton bourru. Ce n'est pas le cas de celui-ci. Vous êtes sur les terres de ma ferme.

— Oui... reprend François calmement. Je disais donc qu'on était installés dans l'autre champ, et nos voisins, les saltim-banques, ont voulu se débarrasser de nous. Ils ont profité de notre absence pour tirer nos roulottes jusqu'ici !

— Eh bien ! Vous ne pouvez pas res-ter, rétorque le fermier. J'ai besoin de ce terrain pour mes vaches. Vous devez par-tir aujourd'hui, ou je déménage moi-même vos caravanes et les mets sur la route !

— Mais, monsieur, écoutez...

Le paysan ne veut plus rien entendre, et s'éloigne d'un air farouchement résolu.

Les filles ouvrent leur fenêtre. Claude crie :

— On a entendu ce qu'il a dit ! On est

94

dans de beaux draps ! Qu'est-ce qu'on va faire maintenant ?

— Déjeuner ! répond Mick, qui s'est réveillé en entendant la grosse voix du fermier. Ensuite, on ira voir les saltimbanques et on leur expliquera qu'ils ne peuvent pas nous refuser l'accès au terrain de camping. S'ils ne veulent pas nous aider à rapatrier nos roulottes, on ira se plaindre à la gendarmerie !

— C'est gai ! soupire Annie. On était si tranquilles avant l'arrivée de ces forains... Et on ne demandait qu'à être en bons termes avec eux.

— Maintenant, je me fiche de leur amitié, s'emporte sa cousine. J'en ai assez de cette hostilité ! Quand je pense que leur dresseur de serpents a menacé Dagobert... Je finis par avoir envie de rentrer à la maison et d'y passer la fin des vacances ! Ici, nos voisins n'arrêteront pas de nous causer des ennuis. Mais avant, je veux m'expliquer avec eux ! On ira tous les voir après le déjeuner, d'accord ?

— D'accord ! répondent ses compagnons d'une seule voix.

Le petit déjeuner est aussi morne que le dîner de la veille. Les enfants restent silencieux. Ils réfléchissent à ce qu'ils doivent dire aux saltimbanques.

— Il faut emmener Dago avec nous, déclare Annie, exprimant l'opinion générale.

Les Cinq partent vers huit heures et demie. Tous les forains sont debout, et l'odeur de café flotte dans l'air pur du matin.

Les enfants décident de s'adresser de préférence à Alfredo, et ils se dirigent de son côté. Les autres, voyant cela, s'approchent l'un après l'autre pour entourer les jeunes visiteurs. Dagobert montre les dents et grogne.

— Monsieur Alfredo, commence Mick. Le propriétaire du terrain sur lequel vous avez mis nos roulottes exige qu'on parte. On doit donc revenir ici. Il faut que vous nous aidiez à déménager les caravanes et...

96

Il ne peut achever. Une tempête de rires secoue les saltimbanques. Le cracheur de feu répond d'un air narquois :

— Nous sommes désolés pour vous, jeune homme, mais nous avons un programme très chargé... nous n'avons pas de temps à perdre avec vos histoires de roulottes. Débrouillez-vous tout seuls !

— Vous savez très bien qu'on ne pourra pas déplacer les véhicules par nous-mêmes ! rétorque Claude, bouillonnante. Si vous refusez de nous donner un coup de main, on sera obligés de réclamer l'aide de la police !

Un murmure de mécontentement circule parmi les forains. Dagobert gronde plus fort.

Soudain, un claquement sec se fait entendre. François se retourne brusquement. Les saltimbanques élargissent le cercle, et les enfants se trouvent en face de Buffalo, qui brandit son fouet avec un sourire inquiétant.

Clac ! Mick sursaute, car quelques cheveux, qui se tiennent ordinairement bien droits sur le dessus de sa tête, s'envolent au bout de la lanière !

Dagobert montre les crocs et se campe en arrière, prêt à bondir sur l'agresseur. Sa maîtresse saisit le collier de la brave bête

— Si vous recommencez, je lâcherai mon chien ! crie-t-elle en avertissement.

Annie reste debout, désemparée. Elle est au bord des larmes.

Alors, il se passe quelque chose d'inattendu, quelque chose qui laisse l'assistance frappée d'étonnement !

Une petite fille brune, vêtue d'une chemisette rouge et d'une courte jupe grise, se présente à l'entrée du terrain de camping. Elle ressemble beaucoup à Claude, avec ses cheveux bouclés et sa figure toute marquée de taches de rousseur.

Elle arrive en courant et crie à pleins poumons :

— Mick, Mick, hé Mick ! François !

Les enfants se retournent, ébahis.

— Mais c'est Jo ! Jo ! François, regarde, c'est Jo !

Il n'y a pas de doute là-dessus. C'est bien Jo, la jeune fille que les Cinq ont rencontrée lors d'une de leurs aventures à Kernach[1]. Rayonnante de joie, elle se jette dans les bras de Mick, qui manque de perdre l'équilibre. Il a toujours été son préféré.

— Quelle surprise ! s'exclame la nouvelle venue. François ! Annie ! Claude ! Oh ! Et Dagobert, ce cher vieux Dago ! Vous campez ici ? C'est trop beau pour être vrai !

— Qu'est-ce que tu fais ici ? demande l'aîné des Cinq.

— Eh bien, je suis en vacances, comme vous ! Je viens rendre visite à mon oncle Alfredo !

— Le cracheur de feu est ton oncle ?

— Mais oui ! Vous le connaissez ?

Alors seulement, Jo s'aperçoit qu'il se

1. Voir *Le Club des Cinq pris au piège*, dans la même collection.

passe quelque chose d'insolite. Pourquoi tous les forains sont-ils rassemblés autour de ses amis ? Elle regarde autour d'elle et comprend immédiatement que les forains sont hostiles aux quatre jeunes vacanciers, quoique l'expression de leur visage marque plutôt un certain étonnement.

— Oncle Fredo, où es-tu ? lance la jeune fille en le cherchant des yeux. Ha ! te voilà. Je te présente mes meilleurs amis – le Club des Cinq ! Je vous expliquerai tout ce qu'ils ont fait pour moi l'été dernier ; ils ont été si gentils...

— Bon, intervient Mick, saisissant l'occasion de s'éclipser du cercle des forains. Pendant que tu racontes ton histoire, on va retourner à nos roulottes. À tout à l'heure.

Les saltimbanques s'écartent pour laisser passer les enfants et Dagobert. Ils refont cercle autour de Jo, dont la voix perçante ne tarit pas d'éloges à l'égard des jeunes campeurs.

— Ça alors ! En voilà, une surprise ! dit François, quand ils passent au travers de

100

la haie. Je n'en croyais pas mes yeux quand j'ai vu surgir notre amie Jo ! Pas toi, Claude ?

En réalité, sa cousine n'est pas tellement ravie. Elle admire Jo, mais de loin. Sa présence la rend nerveuse. Jo lui ressemble trop pour qu'elle puisse lui accorder une amitié parfaite.

— Heureusement qu'elle est arrivée ! intervient Annie. Buffalo était sur le point de te scalper, Mick !

— Oh ! tu exagères, répond ce dernier, il ne s'agissait que de quelques cheveux rebelles. Mais c'était vexant ! En tout cas, je suis bien content de retrouver Jo. Elle est très originale et un peu impulsive. C'est la dernière personne que je m'attendais à trouver à Château-Mauclerc !

— Quand on y réfléchit, ce n'est pas si extraordinaire, tempère François. Souviens-toi qu'avant qu'on la rencontre, elle aussi vivait dans une caravane, avec son père. Sa mère est morte il y a plusieurs années ; elle travaillait dans un cirque... Jo elle-même nous a confié tout ça, vous vous en souvenez ? Ce n'est pas si étonnant qu'elle ait un oncle forain !

— Tu as raison, j'avais oublié ces détails, acquiesce Annie. Jo doit en effet connaître toutes sortes d'artistes dans la région ! Je me demande ce qu'elle est en train de raconter à nos voisins...

— Elle est certainement occupée à chanter les louanges de Mick ! répond Claude ironiquement. Cette fille est en extase devant Mick ! Enfin, peut-être que les saltimbanques se montreront plus sympathiques quand ils sauront que la nièce d'Alfredo est notre amie !

— Regardez, la voilà justement qui arrive ! Par ici, Jo ! crie Annie. Et... oh ! vous avez vu ? Elle amène deux chevaux ! Elle va nous aider à déménager nos caravanes !

chapitre 10

De retour parmi les forains

Les quatre enfants courent à la rencontre de Jo, Dagobert bondissant autour d'eux.

— Eh bien ! En voilà un drôle d'emplacement pour des roulottes ! lance la jeune fille avec un large sourire. Au milieu d'un champ de pâture pour les vaches !

— C'est les forains qui les ont déplacées ici... se défend Claude.

— Je sais ! Je vous taquine. Oncle Fredo m'a tout expliqué. Alors je lui ai raconté comment je vous ai connus et combien vous avez été gentils pour moi. Il ignorait que Maria, qui m'a prise sous son aile après que papa est parti en pri-

103

son, travaillait à l'époque comme cuisinière chez les parents de Claude à Kernach.

Les Cinq se remémorent l'histoire terrible qu'a vécue Jo auprès de son père ; celui-ci s'est rendu complice d'un terrible bandit dénommé Mesnil-le-Rouge, et a été condamné à plusieurs années d'incarcération.

— J'étais bouleversée d'apprendre que les forains vous avaient chassés du terrain de camping, poursuit la jeune fille. Alors, je leur ai dit ce que je pensais d'eux !

— Vraiment ? intervient Claude, incrédule.

— Vous ne m'avez pas entendue ? J'ai d'abord grondé mon oncle Alfredo, puis j'ai crié après tous les autres !

— Eh bien ! Ils ont dû passer un sale quart d'heure ! conclut Mick.

— Ça oui ! Ils ont eu honte de vous avoir traités aussi méchamment. Enfin, j'ai eu gain de cause, puisque me voilà avec des chevaux pour ramener vos roulottes !

104

— Super, dit François. Et personne n'a protesté ?

— Oh ! non, rétorque Jo. Ils n'avaient pas intérêt ! Allez, préparons les chevaux ! Ce n'est pas le fermier qui se dirige vers nous ?

C'est bien lui, et il n'a pas l'air de bonne humeur. Les enfants se dépêchent d'attacher un cheval à chaque véhicule. Le paysan s'approche et les observe.

— Je vois que vous avez trouvé le moyen de déplacer vos voitures ! lance-t-il. Il était temps !

— Grrrrrr... fait Dagobert.

— Hue ! crie Jo en prenant les rênes du cheval attelé à la roulotte des filles.

La caravane se met en route, et sa conductrice fait exprès de la faire passer si près du fermier que celui-ci doit se reculer précipitamment. Il bougonne quelque chose. Dago grogne en retour. L'homme s'écarte encore davantage et regarde les deux maisonnettes s'éloigner dans le chemin. La manœuvre est difficile, car il faut

105

descendre un peu la côte, puis remonter pour accéder au terrain de camping. Les véhicules sont lourds et les chevaux peinent. Enfin, ils arrivent à leur précédent emplacement et installent les roulottes exactement au même endroit qu'auparavant.

Les enfants détellent les chevaux et les garçons s'emparent de leurs brides.

— On va les rendre nous-mêmes, déclare François.

Les deux frères ramènent donc les animaux à l'oncle de Jo, qui est occupé à étendre du linge sur une corde. C'est étrange de voir un cracheur de feu se livrer à ce genre de tâche ménagère, mais le saltimbanque ne s'en soucie pas le moins du monde.

— Monsieur Alfredo, on vous remercie de nous avoir prêté vos bêtes, dit Mick. Vous voulez qu'on les attache quelque part ou qu'on les laisse libres ?

L'homme se retourne et retire quelques

épingles à linge de sa large bouche. Il semble plutôt confus.

— Laissez-les libres, répond-il.

Puis il hésite et ajoute :

— On ne savait pas que vous étiez des amis de Jo. Elle nous a parlé de vous. Pourquoi ne pas nous avoir dit que vous la connaissiez ?

— Comment aurait-il pu le faire, alors qu'il ignorait qu'elle était ta nièce ? s'écrie Mme Alfredo, de la porte de sa caravane. Fredo, tu n'as vraiment pas de tête ! Ah ! Et voilà que tu laisses tomber ma plus belle robe !

Elle accourt, et le cracheur de feu la regarde s'approcher d'un œil inquiet. Heureusement, elle n'a pas de casserole à la main, cette fois. Elle se retourne vers les deux garçons, qui rient sous cape.

— Mon mari regrette d'avoir déplacé vos roulottes, déclare-t-elle. N'est-ce pas, Fredo ?

— Mais.... Marina... C'est toi qui... commence le forain, avec un regard ahuri.

Sa remuante petite femme ne le laisse pas finir. Elle lui donne un coup de coude, et se remet à parler :

— Ne faites pas attention à ce qu'il dit ! Il n'a pas de bon sens. Alors, êtes-vous contents d'être revenus dans votre coin ?

— Je ne crois pas qu'on s'attardera longtemps ici, répond François, d'un ton un peu sec. On partira probablement demain.

— Fredo, regarde ce que tu as fait ! déplore Mme Alfredo. Tu as chassé ces gentils enfants !

Le saltimbanque, indigné, retire quelques épingles à linge de sa bouche pour protester, quand sa femme pousse un cri et se précipite vers sa caravane :

— Ma tarte aux abricots : elle brûle !

Son mari éclate de rire, d'un rire énorme qui surprend les garçons.

— Ha ! Voilà qui lui apprendra à s'en prendre tout le temps à moi !

François et Mick s'éloignent déjà quand le cracheur de feu les rappelle :

— Hé ! Vous pouvez rester ici, dans ce champ. Vous êtes les amis de Jo. C'est suffisant pour nous.

— Possible, mais ce n'est pas assez pour nous, réplique Mick froidement. On partira demain.

Les deux frères retournent à leurs roulottes. Jo est assise sur l'herbe avec Annie et Claude, et leur raconte sa vie auprès de la douce Maria.

— Elle s'occupe tellement bien de moi ! explique-t-elle. On se confie tous nos petits problèmes et on rit beaucoup. Mais Maria n'apprécie pas que je m'habille en garçon... alors que moi, c'est comme ça que je suis le plus à l'aise. Vous voyez, je porte des jupes, maintenant. Tu peux me prêter un short, Claude ?

— Non, je ne peux pas, répond Claude, sans hésitation.

Jo lui ressemble assez comme ça ! Elle ne va pas, en plus, porter ses vêtements !

La jeune fille ne paraît pas remarquer la perfidie de cette réflexion.

— Vous projetez de passer toutes les vacances ici ? demande-t-elle encore.

— Non, répond Annie. On va certainement partir bientôt : on a été trop mal reçus par les saltimbanques !

— À partir de maintenant, ils seront gentils avec vous ! assure la bohémienne en se levant, comme si elle avait l'intention d'aller immédiatement donner des consignes aux forains.

Mick la retient par le bras.

— Non, laisse-les tranquilles, dit-il. On va rester encore vingt-quatre heures ; on prendra une décision demain. Qu'est-ce que vous en pensez ?

Ses compagnons acquiescent.

— Dans ce cas, poursuit-il, allons fêter l'arrivée de Jo en mangeant des glaces.

Ils descendent tous la colline, avec Dagobert. Quand ils passent devant le dresseur de serpents, celui-ci leur crie gaiement :

— Bonjour, les enfants ! Il fait un temps splendide, vous ne trouvez pas ?

Voilà qui est inattendu, après la mauvaise humeur et la rudesse dont les saltimbanques ont fait preuve envers eux ! La benjamine du groupe sourit, mais les garçons et Claude se contentent de saluer d'un signe de tête, en passant. Ils sont plus rancuniers qu'Annie !

Ils croisent ensuite l'homme-caoutchouc, qui rapporte de l'eau. Il quitte même un instant son air lugubre pour leur adresser un bref sourire.

Puis ils voient Buffalo, qui s'exerce avec son fouet, clac, clac, clac ! Il s'approche d'eux.

— Si vous avez envie que je vous montre des tours, n'hésitez pas à me le demander ! lance-t-il aux jeunes vacanciers.

— Merci, répond Mick poliment mais en gardant ses distances. On va probablement partir demain.

— Oh ! se désole le forain, embarrassé.

Il se demande si le jeune garçon lui en

111

veut pour les quelques cheveux arrachés plus tôt.

— Restez donc avec nous... Je vous prêterai un fouet.

— On partira sans doute demain, répète François.

Les enfants saluent et passent leur chemin.

— Hum ! Et si on restait ? suggère Annie. Puisqu'ils deviennent aimables, ça change tout !

— On verra... réplique sa cousine. Je te rappelle que le dresseur de serpents a menacé Dagobert !

Ils continuent leur route jusqu'au village et arrivent chez le marchand de glaces.

Ce jour-là, ils s'amusent bien. Ils font un excellent déjeuner sur l'herbe, près de leur roulotte et, à leur grande surprise, Mme Alfredo leur apporte un gros gâteau – qui n'est pas brûlé. Annie la remercie chaleureusement, pour compenser l'attitude réservée de ses compagnons.

— Vous auriez pu vous montrer plus

aimables, quand même, leur dit-elle d'un ton de reproche. Elle est réellement gentille, cette Mme Alfredo. Je pense de plus en plus qu'on devrait rester...

Mais Claude s'obstine. Elle secoue la tête.

— On partira demain, insiste-t-elle. Il faudrait vraiment qu'il se passe quelque chose d'extraordinaire pour que je change d'avis ! Et il ne se produira rien.

Mais la jeune fille se trompe. Quelque chose d'inattendu est sur le point de survenir...

chapitre 11

Le mystère de la tour

Pour le goûter, les enfants se régalent du délicieux quatre-quarts de Mme Alfredo.

— Je ne pourrais rien avaler de plus, souffle Mick en finissant son jus de fruits. Cette dame s'y connaît en gâteaux ! Je ne me sens même pas capable de me lever et de ranger les verres et les assiettes !

— On a tout notre temps, le rassure Annie. Il fait si bon. Restons assis un moment sur l'herbe. Écoutez ce merle qui siffle encore. Son chant est différent chaque fois !

— C'est pour ça que j'aime les merles, explique François. Ce sont des compositeurs. Ils ne font pas comme les pinsons, qui lancent toujours les mêmes notes. Il y en avait un ce matin qui a chanté cinquante fois de suite le même air !

— C'est vrai, je l'ai entendu, ce casse-pieds ! acquiesce Claude.

— Oh ! regardez, dit Annie, est-ce que ces hérons s'envolent vers le marais ?

— Oui, confirme Mick. Tu devrais aller chercher tes jumelles, Claude. On pourrait s'amuser à les observer.

Claude trouve que c'est une bonne idée. Elle se lève, entre dans sa roulotte et revient bientôt avec les précieuses jumelles, qu'elle tend à son cousin. Il les porte à la hauteur de ses yeux.

— Oui, il y a quatre hérons au bord de l'eau. Ils ont de très longues pattes ! Je crois qu'ils pêchent. En ce moment, il y en a un qui tient quelque chose dans son grand bec. Une grenouille ! Il a attrapé une grenouille !

— Arrête ! le coupe sa cousine. Tu ne me feras pas croire que ces jumelles sont

116

assez puissantes pour permettre de voir à cette distance une petite bête dans le bec d'un héron !

Pourtant, Mick ne ment pas. Les parents de Claude ont offert à leur fille des jumelles de grande qualité ; c'est un trop beau cadeau pour la jeune fille, qui n'est pas soigneuse et prête peu d'attention aux objets de valeur. Elle a juste le temps de voir les pattes du pauvre batracien disparaître dans le gosier de son prédateur. Puis, quelque chose effraie les échassiers et, avant que François, Jo et Annie aient pu les observer, ils s'enfuient à tire-d'aile.

— Quel vol majestueux ! s'émerveille Mick. Le battement de leurs ailes est tellement lent et gracieux. Prête-moi encore tes jumelles, Claude, s'il te plaît. Je voudrais regarder les choucas. Il y en a des centaines qui tournent au-dessus du château. C'est sans doute leur promenade du soir !

Il prend l'instrument. Le cri des oiseaux parvient jusqu'à eux, lugubre et discordant. Le garçon en voit quelques-uns descendre vers l'unique tour intacte du château. Il suit leurs évolutions. L'un des choucas se pose sur le rebord de l'étroite meurtrière creusée dans le haut de la tour. Puis le volatile s'envole, comme effarouché.

Soudain le jeune observateur sent son cœur battre plus fort dans sa poitrine. Ses jumelles sont dirigées sur l'antique fenêtre ! Il ne peut en croire ses yeux. Puis, d'une voix étranglée d'émotion, il interpelle son frère :

— Regarde la fenêtre qui est tout en haut de la tour, et dis-moi ce que tu vois ! Vite !

François, surpris, se saisit de la double lorgnette. Les autres, très intrigués, cherchent à comprendre. Qu'est-ce que Mick a bien pu voir ? L'aîné du groupe scrute longtemps.

— Oh ! J'y suis ! souffle-t-il enfin. C'est incroyable ! Ce n'est pas un effet de lumière ?

118

Poussée par la curiosité, Claude arrache les jumelles à son cousin.

— Laisse-moi voir ! crie-t-elle. Ce sont mes jumelles, après tout !

Elle les dirige sur l'endroit indiqué et observe intensément. Puis elle se tourne vers ses compagnons.

— Eh bien ? Il n'y a rien là-bas. Juste une ouverture dans un mur !

Annie s'empare à son tour de l'instrument. Elle aussi essaie de distinguer quelque chose.

— Il n'y a rien, déclare-t-elle, découragée.

Mick se jette aussitôt sur les jumelles et les braque une fois de plus sur la tour.

— Il est parti. C'est fini.

— Mais quoi ? Si tu ne nous dis pas immédiatement ce que tu as vu, on te fait rouler jusqu'en bas de la colline, tu entends ! menace Claude, hors d'elle.

— Eh bien, explique son cousin. J'ai vu... un visage. Oui, quelqu'un regardait par la fenêtre...

119

— J'ai aperçu la même chose, ajoute François.

— Un visage ! s'exclament les filles d'une seule voix. Comment ça ?

— C'est bien simple : une tête avec deux yeux, un nez et une bouche ! Il m'a semblé que cette figure avait une expression désespérée !

— Mais personne ne vit dans ce château. Il est en ruine, fait remarquer Claude. C'était peut-être un visiteur, non ?

Jo jette un coup d'œil à sa montre.

— Non ce ne pouvait pas être un visiteur. Le château ferme à cinq heures et demie et il est plus de six heures. C'était une tête d'homme ?

— Oui, je le crois, répond Mick. Seuls ses yeux étaient en pleine lumière, mais quand même il n'y a guère de doute... Tout ce que j'ai remarqué, c'est qu'il avait de gros sourcils bruns.

— Comme j'aurais voulu aussi voir ce visage ! soupire sa cousine. Ce sont mes jumelles, et je n'ai rien vu !

120

Annie et Jo, à tour de rôle, se repassent les lunettes et guettent la mystérieuse figure, jusqu'à la tombée du jour. Quand elles abandonnent la partie, il fait si sombre qu'on peut à peine distinguer la tour elle-même.

— On ira visiter le château demain, et on montera dans la tour, décide Claude. On verra bien s'il y a quelqu'un dedans.

— Mais je croyais qu'on partirait demain, dit François d'un air innocent, en regardant sa cousine du coin de l'œil.

— Euh, oui... c'est vrai, on devait partir... répond la jeune fille qui avait complètement oublié ses résolutions. Mais... je ne crois pas qu'on puisse quitter la région sans avoir visité ce château, et trouvé l'explication de cette énigme... Et puis, il faut qu'on poursuive notre enquête au sujet des savants disparus...

— Mais oui ! s'exclame Jo. Restez un peu ! Enfin, si vous rentrez chez vous, je resterai ici avec mon oncle Alfredo et ma tante Marina. Claude n'a qu'à me prêter ses jumelles. Je surveillerai la tour et vous téléphonerai si...

— Non, rien à faire, l'interrompt l'intéressée. Je ne me séparerai pas de mes jumelles. Tiens, qui vient vers nous ?

Une silhouette massive se profile dans le crépuscule. C'est Alfredo, le cracheur de feu.

— Jo, tu es là ? demande-t-il. Ta tante t'invite à dîner, avec tous tes amis. Venez !

Il y a un silence. Annie regarde sa cousine avec appréhension. Va-t-elle encore faire la fière ? Elle espère que non.

— Merci, répond enfin la jeune fille. On accepte avec plaisir.

— C'est gentil de votre part, dit le forain. Vous voulez que je fasse mon numéro pour vous amuser ? J'avalerai du feu devant vous !

C'est trop tentant ! Tous les enfants se lèvent d'un bond et suivent le grand Alfredo jusqu'à sa caravane. À son seuil chauffe une grosse marmite noire qui laisse échapper une appétissante odeur.

— Le dîner n'est pas encore prêt, explique le cracheur de feu.

Les enfants s'asseyent non loin de la cocotte.

— Comment faites-vous pour ne pas vous blesser en faisant votre numéro ? demande Mick.

— C'est très difficile ! déclare Alfredo. Toute une technique. Je le ferai à condition que vous me promettiez de ne pas essayer vous-mêmes. Vous ne voulez pas avoir des ampoules dans la bouche, n'est-ce pas ?

Non, personne ne le souhaite.

— Mais vous, monsieur Alfredo ? s'écrie Annie.

— Moi ? Je suis un très bon cracheur de feu. Ceux qui savent s'y prendre n'ont pas d'ampoules. Maintenant, attendez-moi bien gentiment, je vais chercher mes accessoires.

Quelqu'un d'autre s'installe près du petit groupe. C'est Buffalo. Il sourit aux jeunes campeurs. Fanny arrive aussi, puis le dresseur de serpents. Ils prennent place de l'autre côté de la marmite.

Alfredo revient en portant quelques objets dans sa main.

— On dirait un cercle de famille ! s'attendrit-il. Maintenant, regardez, le spectacle commence !

chapitre 12
Une représentation gratuite

Alfredo s'installe dans l'herbe, à une certaine distance du feu. Il place devant lui un petit bol de métal qui sent l'essence. Puis il tend en l'air deux objets qu'il montre aux enfants.

— Ce sont ses flambeaux, explique Mme Alfredo, fièrement. Mon mari avale les flammes qui en sortent.

Le saltimbanque parle à voix basse au dresseur de pythons, et trempe ses deux flambeaux dans le bol. Ils ne sont pas encore allumés, et ressemblent, à ce moment-là, à deux cylindres sombres. L'homme-aux-serpents se penche et prend

125

dans le feu une brindille qui brûle. Il la lance dans le petit récipient. Immédiatement, l'essence s'embrase. Alfredo approche du bol une torche, puis l'autre. Elles s'allument aussitôt et jettent de hautes flammes. Les yeux du forain brillent d'un étrange reflet, tandis qu'il tient un flambeau dans chaque main. Les cinq jeunes spectateurs sont captivés. Puis le cracheur de feu renverse la tête en arrière, et ouvre toute grande sa large bouche. Il introduit dedans l'une des torches allumées, et ferme les lèvres dessus. Ses joues deviennent incroyablement rouges, éclairées curieusement par les flammèches qui sont à l'intérieur. Annie pousse un cri étouffé. Claude et les garçons retiennent leur souffle. Seule, Jo contemple le spectacle sans émotion apparente. Elle a souvent vu son oncle se livrer à cet exercice, aussi n'est-elle plus impressionnée.

Alfredo ouvre la bouche, et des flammes en jaillissent.

C'est une scène extraordinaire !

Il fait la même chose avec l'autre torche, et une fois encore ses joues s'éclairent comme une lampe. Puis le feu s'échappe de sa gorge, et illumine la pénombre du soir. La saltimbanque ferme la bouche. Il avale. Puis il regarde autour de lui, desserre les lèvres pour montrer qu'il n'y a plus de flammes dedans, et sourit, satisfait. Il aime son métier.

— Alors, qu'en pensez-vous ? demande-t-il en rangeant soigneusement ses flambeaux. Le contenu du bol a cessé de brûler, et seul le feu de camp éclaire encore les lieux.

— C'est merveilleux, répond François avec admiration. Mais vous ne vous brûlez pas la bouche ?

— Qui, moi ? Non, jamais ! s'exclame Alfredo en riant. Les premières fois, oui, sans doute, quand j'ai commencé, il y a bien des années. Mais maintenant, non. Je suis un professionnel, jeune homme !

— Mais... je n'arrive pas à comprendre

comment vous faites pour ne pas vous faire mal ? persiste Mick, piqué par la curiosité.

L'artiste refuse de révéler la clef du mystère. Il tient à garder son secret, comme tous ceux qui réalisent des tours.

— Moi aussi, je sais avaler du feu, annonce Jo d'un air détaché. Oncle Fredo, prête-moi l'un de tes flambeaux !

— Jamais de la vie ! rugit l'homme. Est-ce que tu veux risquer de te transformer en torche vivante ?

— Non, et ça ne m'arrivera pas, répond l'adolescente. Je t'ai observé et je sais comment tu t'y prends. J'ai déjà essayé.

— Mais bien sûr... marmonne Claude, ironique.

— Si tu avales du feu, je te ferai passer l'envie de recommencer, menace le forain.

— Écoute-moi bien, Jo, coupe Marina. C'est à moi que tu auras affaire si tu n'es pas raisonnable.

Annie pousse soudain un cri de frayeur.

Un long corps cylindrique glisse entre elle et François ! c'est un des pythons du dresseur de serpents, qui a suivi son maître. Les enfants, très occupés, ne l'ont pas remarqué. Jo l'attrape et ne veut plus le lâcher.

— Laisse-le, ordonne le dresseur de serpents. Il veut revenir près de moi.

— Je voudrais le tenir un moment, dit la jeune fille. Il est si doux et si froid... J'aime les reptiles. Touchez-le, vous verrez ! C'est tout doux.

La curiosité aide François à surmonter la répulsion qu'il éprouve, et il pose sa main sur le python. L'animal est froid, en effet, et très lisse au toucher, malgré l'aspect de sa peau écailleuse. Le jeune garçon en est stupéfait.

Le serpent monte en glissant jusqu'à l'épaule de Jo et ensuite redescend le long de son dos.

— Ne le laisse pas enrouler sa queue autour de toi, avertit le dresseur. Je te l'ai déjà dit.

— Je peux le porter autour de mon cou comme une fourrure ? demande la jeune fille.

Et elle tire sur le python jusqu'à ce qu'enfin il soit posé sur ses épaules. Claude l'observe avec une admiration involontaire. Annie se recule un peu. Les garçons observent, fascinés.

Un chant très doux, accompagné à la guitare, s'élève dans la nuit. C'est Fanny, la femme de Buffalo, qui chante d'une voix contenue une mélodie triste, avec un refrain d'une gaieté inattendue que les saltimbanques reprennent en chœur.

À peu près toute la troupe est maintenant réunie, et il y a là quelques artistes que les enfants n'ont encore jamais vus.

C'est très amusant d'être assis autour d'un beau feu, d'écouter le chant bohémien qui résonne étrangement, en compagnie d'un cracheur de feu et d'un serpent qui semble, lui aussi, apprécier la musique ! Il abandonne Jo tout à coup et s'approche de son maître.

— Oh ! Balthazar ! s'émeut le curieux petit homme en laissant le serpent glisser dans ses mains. Tu aimes la mélodie, hein ?

— Regarde-le ! murmure Annie à Claude. Il a de la tendresse pour cet animal-là ! Je me demande comment on peut s'attacher à une bête aussi répugnante...

— Je ne le trouve pas répugnant, rétorque sa cousine. On s'y habitue très vite.

Marina se lève.

— Il est temps de dîner, annonce-t-elle à l'assemblée.

Alfredo retire la lourde marmite du feu, et – tandis que les autres saltimbanques regagnent leurs caravanes – une si bonne odeur se répand que les cinq enfants commencent à avoir faim.

— Où est Dago ? interroge soudain Claude.

— Il s'est sauvé quand il a vu le serpent, répond Jo. Je l'ai vu partir. Dagobert, reviens ! Tout va bien ! Dagobert !

131

— Merci, je vais l'appeler moi-même, l'interrompt sa rivale. C'est mon chien ! Dagobert !

Son fidèle compagnon revient, l'oreille basse. Sa maîtresse le caresse. Il lui lèche la main, ainsi que celle de la jeune bohémienne. Claude essaie de l'éloigner de cette dernière. L'animal témoigne toujours de l'affection à Jo, et ce n'est pas du goût de Claude.

Le repas est très réussi.

— Qu'est-ce que vous utilisez, au juste, comme ingrédients pour votre ragoût ? demande Annie en acceptant une seconde ration. C'est délicieux !

— Du poulet, du canard, du bœuf, du lard, des oignons, des carottes, des navets... énumère la femme d'Alfredo. Je mets dedans tout ce qui me tombe sous la main. Ça cuit et je remue, ça cuit et je remue.

— Wouf ! fait Dagobert en recevant quelques gouttes de la savoureuse préparation sur le museau, et les léchant. Wouf !

Il se lève et se dirige vers la cuiller que tient la cuisinière, espérant un supplément.

— Oh ! tante Marina, donne donc un peu de jus au chien, supplie Jo.

Et, à la grande joie de Dago, la femme pose devant lui une belle platée pour lui tout seul.

— Merci beaucoup pour cet excellent dîner, dit enfin François. Il est l'heure d'aller se coucher.

Il se lève et les autres suivent son exemple.

— Et merci d'avoir fait votre numéro pour nous, Alfredo, ajoute Mick. C'était super !

— Je suis ravi que ça vous ait plu ! répond le cracheur de feu. Jo ? Tu ne restes pas avec nous ?

— Non, je préfère dormir avec mes amis. Je coucherai dans la roulotte des filles...

— Ah oui ? intervient Claude, l'air maussade. Il n'y a pas beaucoup de place, tu sais...

133

Sa cousine lui envoie un coup de coude et corrige ses propos :

— Bien sûr que si ! On mettra des couvertures sur le sol, en guise de matelas. Ce sera très bien !

Les enfants regagnent leurs véhicules. En traversant le champ dans l'obscurité, ils discutent de l'affaire des savants disparus. La jeune bohémienne n'est pas au courant de cette disparition. Elle interroge ses amis sur l'avancée de leur enquête.

— Pour l'instant, ça piétine... reconnaissent-ils.

Les campeurs arrivent devant les roulottes.

— On a passé une bonne soirée, juge Mick. Je me suis bien amusé. Ton oncle et ta tante sont vraiment très sympa, Jo.

L'adolescente est ravie. Elle aime recevoir des compliments de son ami. Elle s'installe au pied des couchettes des deux cousines, enroulée dans le plaid que Marina lui a prêtée.

— Je suis contente qu'on reste ici,

confie Annie. Maintenant, les saltimbanques sont nos amis ! Grâce à Jo !

Claude ne répond pas.

— Quel dommage qu'on n'ait pas vu
cette mystérieuse tête d'homme à la
fenêtre de la tour ! poursuit la fillette. Je
me demande à qui ce visage appartient...

Elle éteint la lampe.

Soudain, la maîtresse de Dagobert
entend un bruit qui vient de l'extérieur.
Qu'est-ce que c'est ? Dagobert lève la tête
et gronde. La jeune fille observe la fenêtre
qui est en face d'elle. Elle y voit une
étoile, puis quelque chose vient se placer
devant, et se presse contre la vitre. Le
chien grogne encore faiblement, puis se
tait. Est-ce quelqu'un qu'il connaît ?

Claude allume sa lampe de poche et
comprend aussitôt de quoi il s'agit. Elle
réprime son envie de rire et se tourne vers
sa cousine.

— Annie, vite, regarde, il y a une tête
à la fenêtre. Annie, réveille toi !

— Quelle tête ? Où ? Tu te moques de moi ?

— Non, regarde ! insiste l'adolescente en plaçant sa lampe sous la fenêtre.

Une grosse tête brune et allongée observe effectivement à l'intérieur.

— C'est le cheval d'Alfredo ! s'esclaffe Annie. Tu m'as fait peur. Je ne sais pas ce qui me retient de tirer ton matelas pour te faire tomber par terre ! Et toi, Bourricot, va t'amuser ailleurs !

chapitre 13

En route pour le château

Le lendemain, après le petit déjeuner, les enfants discutent du visage entrevu à la fenêtre du château. À plusieurs reprises, ils ont braqué leurs jumelles dans sa direction, mais sans résultat.

— Allons visiter le monument aujourd'hui, propose Mick.

— Bonne idée... répond François. Il faudra consulter l'heure d'ouverture aux touristes dans le guide.

— Le guichetier pourra peut-être nous renseigner sur l'homme de la tour... avance Jo.

— Certainement pas ! s'oppose Claude.

137

Il faut garder ça secret. On essaiera d'en savoir plus par nous-mêmes. Est-ce que tu es sûre que tu sauras tenir ta langue ?

La jeune bohémienne se met en colère :

— Mais bien sûr ! Vous pouvez me faire confiance ! Vous le savez bien !

— Ne te fâche pas, cracheuse de feu, la taquine Mick avec une grimace comique.

Il rentre dans sa roulotte, et en ressort muni d'un livre vert. Il feuillette l'ouvrage, puis lit à voix haute :

— « Le château ouvre ses portes au public tous les jours à partir de dix heures. »

Il regarde sa montre.

— C'est encore trop tôt pour partir.

— Alors, en attendant, je vais aider Tony à soigner ses serpents, annonce Jo. Quelqu'un veut m'accompagner ?

— Euh... non merci, répond Annie. Je trouve ces reptiles intéressants à observer, mais je n'aime pas tellement leur façon de monter sur les gens... Je préfère rester dans ma roulotte.

Ses compagnons se rendent tous à la caravane du dresseur. Celui-ci a sorti ses deux pensionnaires de leur caisse.

— Regardez comme il les frotte bien, chuchote François en s'asseyant non loin de lui. Et comme il les fait briller !

— Jo, veux-tu nettoyer Balthazar à ma place ? demande Tony. Le produit est dans cette bouteille que tu vois là-bas.

De toute évidence, la jeune fille connaît la manière d'astiquer les serpents. Elle prend un chiffon, l'imbibe du liquide contenu dans le flacon et commence à le passer tout doucement sur le corps longiligne du python, en faisant pénétrer la lotion sous les écailles.

Claude offre son aide pour nettoyer le second serpent.

— Eh bien, prends-le, répond le saltimbanque en lui passant l'animal.

Il se lève et se dirige vers sa roulotte. L'adolescente reste tétanisée. Le reptile repose en travers de ses genoux, et se met à l'entourer de ses anneaux.

— Ne le laisse pas enrouler sa queue autour de toi, avertit Jo.

Quand les garçons sont fatigués de regarder les deux filles avec leurs pythons, ils vont voir Buffalo répéter son numéro. Il est en train de dessiner en l'air toute une série de boucles, avec une longue corde. Il sourit aux deux frères.

— Vous voulez essayer ? propose-t-il.

Mais aucun d'eux ne sait se servir d'une corde de cette manière, et leurs tentatives sont inutiles.

— Je voudrais vous voir enlever un petit objet au bout de votre grand fouet, dit Mick. Comme vous l'avez fait l'autre jour avec le morceau de bois que tenait Fanny.

— Très bonne idée ! approuve le forain. Si j'arrachais les feuilles les plus hautes de cet arbuste ?

Buffalo mesure la distance du regard,

140

balance son fouet une fois, deux fois, et le fait claquer.

Les quelques branchages qui dépassaient de l'arbrisseau s'envolent. Les garçons poussent une exclamation admirative.

— Maintenant, cueillez cette marguerite ! demande François, désignant la fleur du doigt.

Clac ! La plante disparaît.

— C'est facile, vous savez... avoue l'artiste. Que l'un de vous prenne un crayon et le tienne dans ses doigts. Je vous le prendrai sans vous toucher !

L'aîné hésite ; Mick fouille dans sa poche et en sort un portemine.

— Ça fera l'affaire ? interroge-t-il.

Il lève le bras, en tenant l'objet entre deux doigts. Buffalo le regarde, les yeux mi-clos, calculant la distance. Il lève son fouet.

Clac ! L'extrémité de la lanière s'enroule autour du crayon et l'arrache de la main du jeune garçon. Il s'envole dans les airs. Buffalo étend la main et l'attrape.

141

— Génial ! s'écrie François, éperdu d'admiration. Est-ce qu'il faut longtemps pour apprendre à exécuter un tour pareil ?

— Environ vingt ans. Mais il est indispensable de commencer enfant : vers trois ans. C'est mon père qui m'a appris à manier le fouet. On apprend très vite, quand on est jeune. Mais je connais d'autres tours d'adresse. Par exemple, je place Fanny devant un panneau et je lance des couteaux tout autour d'elle, sans jamais l'atteindre, bien sûr. Voulez-vous voir ça ?

Mick vérifie l'heure.

— Merci beaucoup, mais ce sera pour une autre fois, répond-il. On va visiter le château. Vous y êtes déjà allé ?

— Non, je ne perds pas mon temps à visiter de vieux châteaux en ruine, explique Buffalo dédaigneusement.

Il regagne sa caravane, en traçant en l'air des boucles avec sa corde. L'aisance et la précision de ses gestes font envie à Mick.

142

« Quel dommage que je n'aie pas commencé à apprendre ces choses assez jeune, pense-t-il. Il est trop tard maintenant. Je suis un vieux ! »

Son frère le tire de sa rêverie en criant à pleine voix :

— Claude ! Jo ! Il est temps de partir ! Posez vos serpents par terre et venez ! Annie, tu es prête ?

Tony vient reprendre ses pythons. Ils glissent sur lui, visiblement contents de retrouver leur maître, et il caresse leur long corps luisant.

— Je vais me laver les mains avant de partir, déclare Claude.

Les enfants ne ferment pas les roulottes à clef. Maintenant, ils sont sûrs que les saltimbanques sont leurs amis. Ils descendent la colline. Dagobert bondit joyeusement autour d'eux ; il a l'impression de les emmener faire une longue promenade.

Quand ils arrivent à la barrière, ils découvrent un sentier abrupt conduisant au château. Ils grimpent le chemin et parviennent à la petite tour dans laquelle une étroite porte donne accès au vieux monument. Une petite femme est assise là, aussi laide qu'une sorcière.

Elle n'a plus de dents et l'on comprend difficilement ce qu'elle dit.

— Nous sommes cinq, annonce François en lui tendant l'argent qu'il a préparé pour payer les billets d'entrée.

— Vous n'avez pas le droit d'emmener le chien à l'intérieur, marmonne la vieille dame d'une voix basse et inintelligible.

Ils ne comprennent pas. Elle montre Dagobert du doigt et répète sa phrase en secouant la tête.

— Vraiment ? Mais il ne fera rien de mal ! assure Claude.

La guichetière désigne le règlement affiché : *Les animaux ne sont pas admis à l'intérieur.*

— C'est bon, on va le laisser dehors, grommelle la jeune fille. Dago, reste ici. On sera bientôt de retour.

Son brave compagnon prend un air

144

piteux. Il ne comprend pas qu'on le traite ainsi, lui, le mieux élevé des chiens. Mais il finit par se résigner et cherche un coin bien ensoleillé pour s'y coucher.

Les cinq enfants passent par un tourniquet grinçant. Juste derrière celui-ci se trouve une porte. Les jeunes visiteurs l'ouvrent et pénètrent dans l'enceinte du château. Le battant se referme après leur passage.

— Attendez, il faut qu'on consulte le guide touristique, dit Annie. Ce sera intéressant d'y lire tous les détails concernant cette tour.

Tout le monde se groupe autour de la fillette qui ouvre le manuel. Il relate l'histoire du château fort, les guerres, les trêves, les ennemis héréditaires, les mariages qu'il a vus se succéder...

— Oh ! s'exclame Mick. Regardez le plan ! Il y a des donjons !

— Malheureusement fermés au public, ajoute François, désappointé. Dommage !

145

Sa sœur poursuit sa lecture à voix haute :

— « C'était autrefois un solide château fort, comme en témoigne l'énorme mur d'enceinte qui l'entoure encore. Le monument lui-même est construit au milieu d'une grande cour. Les murs ont plus de deux mètres d'épaisseur. »

— Plus de deux mètres ! l'interrompt Jo. Ce n'est pas étonnant qu'il soit encore en grande partie debout !

Les jeunes visiteurs contemplent la demeure grandiose avec une sorte de crainte respectueuse. Toutes les portes sont endommagées, des pans de murs manquent, çà et là.

— « Autrefois, il y avait quatre tours, naturellement, reprend la jeune lectrice. Trois d'entre elles sont maintenant en ruine, mais la quatrième est en assez bon état, quoique l'escalier de pierre qui conduisait jusqu'en haut se soit écroulé. »

— Ce qui signifie que vous n'avez pas pu voir une tête à la fenêtre, relève Claude.

Si l'escalier n'existe plus, personne ne peut accéder à cet étage !

— Il faudrait savoir à quel point il est démoli, signale Mick.

— Oui ! acquiesce Jo, les yeux brillants. On devrait tenter de monter ! Qu'est-ce qu'on fera si on découvre l'inconnu que vous avez aperçu ?

— Attendons de le trouver, ensuite on verra, décide François.

Annie referme le guide et le met dans sa poche.

— On dirait qu'on est les seuls visiteurs pour le moment... constate-t-elle.

Ils parcourent la cour qui entoure le château. Elle est jonchée de grosses pierres blanches, tombées des murs. Par endroits, des pans de murs se sont écroulés, et ils peuvent voir l'intérieur du bâtiment, sombre et peu engageant.

Ils reviennent vers la façade.

— Rentrons par la grande porte... suggère Claude. Oh... Imaginez un peu les chevaliers sur leurs chevaux lourdement harnachés, entrant et sortant par cette immense voûte de pierre ?

Ils passent sous l'arc, et traversent différentes salles dont le sol et les parois sont faites de pierre, avec des meurtrières en guise de fenêtres qui laissent à peine passer la lumière du jour.

— Je me demande ce que seraient devenus les habitants de cette demeure en plein hiver s'ils avaient construit de grandes fenêtres ! commente Annie. Brrr ! Il devait faire terriblement froid !

— Le sol était recouvert de nattes de jonc et les murs de tapisseries, explique son frère aîné, qui se souvient d'une leçon d'histoire.

— Si on allait repérer l'escalier de la tour, maintenant ? J'ai hâte de savoir s'il y a vraiment quelqu'un là-haut !

chapitre 14

Le château de Mauclerc

Les choucas tournent en rond autour du vieil édifice, faisant retentir leur cri discordant, s'appelant les uns les autres. Les cinq enfants regardent en l'air et les observent.

— On peut voir un peu de gris sur leur cou, constate Mick. Depuis combien d'années les choucas se sont-ils installés au sommet de ce château ?

— Ils font leurs nids avec des brindilles, et on constate qu'ils en jettent presque autant qu'ils en utilisent, explique Jo. La cour en est pleine ! Regardez cette pilc là-bas !

149

— Quels gaspilleurs ! s'exclame Annie. J'aimerais bien qu'ils en jettent au pied de nos roulottes, ça nous éviterait de passer des heures à chercher du bois pour le feu !

Ils se tiennent devant la grande voûte qui constitue l'entrée du château. Claude bouillonne d'impatience :

— Allons voir la tour ! Vite !

Ils arrivent enfin à la seule tour restée debout. Ils espèrent trouver les fragments d'un escalier, mais, à leur grande déception, ils découvrent que l'un des murs intérieurs s'est écroulé et que le sol est recouvert de pierres entassées. L'accès est complètement bloqué.

Les jeunes visiteurs sont perplexes. De toute évidence, personne n'a pu grimper jusqu'au sommet de la tour par l'intérieur ! Alors, comment se fait-il qu'ils ont vu une tête à la fenêtre, tout là-haut ? Ils se sentent mal à l'aise.

— C'est bizarre, murmure Mick.

— On pourrait demander à la vieille dame s'il existe un autre moyen d'accéder aux donjons, suggère François. Elle doit le savoir.

Ils quittent donc le bâtiment principal, traversent la cour jusqu'à la petite tour d'angle bâtie dans la muraille extérieure. La guichetière est assise près du tourniquet, et remplit une grille de mots croisés.

— Madame, pouvez-vous nous dire s'il y a une deuxième voie d'accès à la tour, là-bas ? demande Claude.

La femme marmonne quelques mots incompréhensibles, tout en secouant négativement la tête.

— Vous n'auriez pas un plan du château plus détaillé que celui qui est dans notre guide ? questionne François.

La femme articule quelque chose qui ressemble à « Commission de protection... », mais la fin échappe à ses jeunes interlocuteurs.

— Que dites-vous ?

La vieille sorcière commence visiblement à en avoir assez de toutes ces ques-

151

tions. Elle ouvre l'épais registre dans lequel elle inscrit chaque jour le nombre de visiteurs et les entrées payées. Elle le feuillette. Puis elle met le doigt sur une ligne et lit :

— « Commission des monuments historiques, service d'inspection. »

— Ah ! comprend François. Des inspecteurs sont venus récemment ? Ils doivent connaître beaucoup de détails sur le château...

— Oui, acquiesce la vieille femme. Deux hommes sont venus jeudi dernier. Ils ont passé la journée ici. Demandez donc des renseignements complémentaires à cette « Commission des monuments » – pas à moi. Je suis là seulement pour encaisser l'argent.

Les enfants sont soulagés d'avoir compris chacun de ses mots ; puis elle retombe dans des bredouillements confus.

— Bon, on a quand même appris quelque chose, se réjouit Mick en s'éloignant avec ses compagnons. On téléphonera à l'organisme dont nous a parlé la guichetière et on demandera des renseignements sur les donjons. Il y a peut-être des passages secrets qui ne sont pas indiqués dans notre guide...

— C'est palpitant ! s'écrie Claude. Retournons donc à cette tour et regardons-la encore.

Ils suivent tous le conseil de la jeune fille. Mais après une nouvelle investigation, leur conclusion reste la même : la tour est inaccessible.

Jo veut essayer de grimper par l'extérieur en s'agrippant aux pierres qui dépassent de la muraille cylindrique.

— Souvenez-vous que je suis agile comme un chat !

— C'est beaucoup trop risqué ! s'oppose Mick aussitôt.

À contrecœur, Jo accepte d'abandonner son idée.

Juste à ce moment-là, quelque chose arrive vers les enfants en bondissant : Dagobert !

— Dago ! D'où tu sors ? demande Claude, toute surprise.

— Bizarre... On ne peut entrer qu'en passant par le tourniquet, réfléchit François, et la porte qui le suit est fermée, j'en suis sûr !

— Wouf ! fait le chien.

Il court vers la tour, monte sur les pierres entassées au sol et s'arrête devant un étroit passage, entre trois ou quatre blocs.

— Wouf ! jappe-t-il de nouveau en désignant le passage avec son museau.

— Il est arrivé par ici, comprend sa maîtresse.

Elle tire de toutes ses forces sur une grosse pierre, mais ne parvient pas à la bouger.

— Je me demande comment Dagobert a réussi à se faufiler dans un si petit espace, qui n'a pas l'air assez large pour un lapin ! En tout cas, aucun de nous ne pourrait passer par là !

— Réfléchissons, murmure Mick, l'air

concentré. On l'a laissé en dehors du châ-teau, donc il a dû courir autour de l'en-ceinte, trouver un petit trou, et se glisser dedans !

— Sans doute, confirme François. Et comme on sait que les murs ont plus de deux mètres d'épaisseur, on peut conclure que Dago a rencontré un endroit où la muraille est démolie dans le bas, et il s'est frayé un chemin par là.

— Un trou à travers plus de deux mètres d'épaisseur ? répète Annie, scep-tique.

C'est assez surprenant, en effet. Ils observent tous le chien, qui remue la queue. Puis il se met à aboyer et à sauter autour d'eux comme s'il voulait jouer.

Soudain, la porte située juste après le tourniquet s'ouvre et la vieille guichetière paraît.

— Comment ce chien a-t-il pénétré ici ? marmonne-t-elle. Il faut qu'il s'en aille tout de suite !

— On ne sait pas comment il est entré,

155

assure Mick. Il y a peut-être un trou dans le mur d'enceinte, non ?

— Non, il n'y en a pas, tranche la vieille femme. Vous avez dû introduire cette bête quand je regardais ailleurs. Faites-le sortir. Et vous aussi, d'ailleurs ! Vous êtes restés assez longtemps dans le château.

— C'est bon, on va partir, affirme François. D'ailleurs, on a vu tout ce qui peut être vu – enfin... tout ce qu'il est permis de voir. Je suis sûr qu'il y a un moyen de monter dans cette tour, bien que l'escalier soit en ruine. On va téléphoner à la Commission des monuments historiques et demander à parler aux experts qui sont venus examiner le château il y a quelques jours. Ils ont probablement un plan plus exact et plus complet. Qui sait ? Cette antique bâtisse possède peut-être des passages secrets, des oubliettes, des chambres dérobées.

Claude prend Dagobert par le collier, et

tous se mettent en route. Ils repassent le tourniquet.

— J'ai envie d'aller manger des crêpes au village, et de boire un jus de fruits, déclare Annie. Pas vous ?

Chacun est d'accord, même le chien, qui se met à aboyer.

— Dago est fou de ces crêpes, traduit sa maîtresse.

— Tu parles ! se moque gentiment la benjamine du groupe. C'est un vrai gâchis. La dernière fois, il en a mangé plus que nous !

Ils se dirigent vers le village. Lorsqu'ils passent devant une cabine téléphonique, Jo a une idée :

— Installez-vous à la terrasse de la crê-perie, dit-elle. Je vais appeler les rensei-gnements pour connaître le numéro de téléphone de la Commission des monu-ments historiques.

Elle s'enferme dans la cabine et le reste de la troupe envahit le petit restaurant.

157

La patronne les accueille très aimablement.

Quand la jeune bohémienne revient, ses amis la pressent de questions.

— Alors ? Quelles nouvelles ? demande Mick.

— C'est très étrange, commence la jeune fille. J'ai trouvé les coordonnées de la Commission qui s'occupe de tous les monuments classés du département. J'ai appelé l'organisme, et j'ai demandé s'il possédait un rapport récent sur le château de Mauclerc.

Elle s'arrête pour rouler une crêpe et mord dedans avec un bel appétit. Les autres attendent patiemment qu'elle reprenne son récit :

— Figurez-vous qu'on m'a répondu qu'il n'y en avait pas. La dernière fois que les inspecteurs sont passés au château, c'était il y a deux ans !

— Mais alors... ces deux hommes qui sont venus de la part de la Commission

158

des monuments historiques la semaine dernière ? demande Annie.

— J'ai fait la même objection que toi, répond l'adolescente en commençant une autre crêpe. Et voilà le hic. On m'a dit que personne n'avait été envoyé ici par la Commission !

— Pas possible ! souffle François. Alors, ces deux hommes sont venus examiner et explorer le château pour des raisons qu'ils sont seuls à connaître ! Ils ont menti à la guichetière, en racontant qu'ils étaient mandatés par la Commission...

— Je ne vois pas d'autre explication, confirme Jo.

— Il se passe des choses bien mystérieuses dans ce château... commente Annie. Entre l'histoire du visage aperçu à la fenêtre, et celle des faux agents de la Commission... Vous croyez que toutes deux sont liées ?

Les jeunes vacanciers la regardent et sentent monter en eux cette sorte d'exaltation qu'ils connaissent bien – ce que

Claude appelle parfois : l'appel de l'aventure ! Mick hoche la tête.

— Plus grave encore, dit François. Je pense que ces mystères ont quelque chose à voir avec les savants disparus...

— C'est vrai que certains indices concordent parfaitement, approuve son frère, par exemple le fait que *deux* scientifiques se soient volatilisés, et que *deux* inconnus se soient introduits ici frauduleusement.

— Et autre chose ! intervient sa cousine. Souvenez-vous, je vous ai dit qu'Antoine Tessier était un historien spécialiste du Moyen Âge. Il ne doit rien ignorer des vieux châteaux forts comme celui-ci. C'est l'endroit idéal pour se cacher et attendre que la presse parle d'autre chose que de sa disparition, non ? Je me demande si je ne devrais pas téléphoner à papa pour lui décrire le visage que vous avez vu à la fenêtre. Il pourra peut-être me confirmer qu'il s'agit bien d'un des deux savants...

— Oui, c'est une bonne idée, approuve Annie, d'un air sombre. J'ai l'impression que cette affaire est de plus en plus compliquée... et de plus en plus inquiétante !

chapitre 15

Expédition nocturne

Chacun réagit différemment, suivant son caractère, mais tous sont prodigieusement intéressés.

— Pendant que tu appelleras ton père, on ira faire quelques courses, décide François.

Claude se rend à la cabine téléphonique située à l'entrée du terrain de camping. Les autres vont à l'épicerie du village, pour faire leur marché. Ils achètent des tomates, de la salade, des pommes de terre, du fromage, du beurre, des gâteaux, des jus de fruits, du poisson, de la viande et du lait crémeux en bouteilles.

Ils rencontrent en route quelques-uns des saltimbanques, qui se montrent très aimables. Mme Alfredo est là avec un énorme panier, presque aussi gros qu'elle.

— Vous voyez, dit-elle en souriant, je fais mon marché moi-même ! Mon grand vaurien de mari est trop paresseux pour s'en charger. Et il n'a pas de tête ! Je lui demande d'acheter de la viande et il rapporte du poisson, je lui dis d'acheter un chou et il rapporte de la laitue. Il est tellement distrait !

Les enfants se mettent à rire. Vraiment, le grand et gros Alfredo, sensationnel cracheur de feu, fait avec sa tyrannique petite femme un couple des plus comiques !

— Voici Tony, le dresseur de serpents ! s'écrie Annie. Heureusement, il est seul ! Quelle panique dans le village, s'il se promenait avec ses pythons ! Je me demande ce qu'il peut bien acheter pour les nourrir !

— On leur donne à manger seulement

une fois par semaine, explique Jo. Ils avalent...

— Non, s'il te plaît, ne le dis pas ! coupe la fillette. Je préfère ne pas le savoir. Regarde, voici Fanny qui vient vers nous !

La compagne de Buffalo salue gentiment. Elle porte deux sacs à provisions remplis jusqu'au bord.

Les enfants reviennent vers le camp et passent une très bonne journée avec les forains, qui tentent par tous les moyens de leur être agréables. Alfredo donne quelques explications au sujet de son tour sans cependant révéler l'essentiel, et montre comment il bourre d'ouate le fond de ses flambeaux, qu'il trempe ensuite dans de l'essence pour obtenir de belles flammes.

Valentin l'homme-caoutchouc se plie en deux et tord ses bras et ses jambes de telle sorte qu'il ne ressemble plus à un être humain, mais à une bête étrange, avec des tentacules.

Il propose à Mick de lui enseigner ce tour, mais le jeune garçon est bien trop raide. Il est déçu, car il a un instant espéré qu'il pourrait étonner ses camarades de lycée avec cette acrobatie.

Tony leur parle longuement des reptiles, leur révèle sur eux d'intéressants détails et termine par quelques remarques sur les serpents venimeux.

— Prenez par exemple un crotale, un naja ou n'importe lequel de ces animaux dangereux. Si vous voulez l'attraper pour l'apprivoiser, il ne faut pas le poursuivre avec un bâton, ni l'immobiliser au sol, car ça lui fait peur et vous n'en obtiendriez jamais rien.

— Alors, comment s'y prendre ? demande Annie, curieuse.

— C'est simple. Je pense que vous avez déjà vu un serpent venimeux sortir sa langue fourchue en sifflant ?

— Oui, répond le chœur des enfants.

— Bon. Si un serpent venimeux tire une langue raide, immobile, faites attention ! Surtout, ne le touchez pas. Mais, en revanche, si sa langue ondule et tremble, vous n'avez qu'à étendre le bras, il s'enroulera autour et vous laissera le prendre.

En parlant, Tony mime la scène avec un serpent imaginaire qu'il laisse glisser le long de son bras. C'est très curieux à observer, et fascinant.

— Merci beaucoup, dit Mick. Si jamais je capture un serpent venimeux, je me souviendrai de vos conseils et je les suivrai à la lettre !

Les autres se mettent à rire. Ils doutent que le jeune garçon se trouve jamais nez à nez avec un animal aussi dangereux... Annie, pour sa part, se dit qu'elle ne s'attarderait certainement pas à examiner la langue d'un serpent venimeux ! Si elle devait, un jour, par malchance, être confrontée à un reptile venimeux, elle prendrait ses jambes à son cou !

Les enfants font connaissance avec des saltimbanques qu'ils n'ont pas encore rencontrés, comme Dacca, le danseur de claquettes, qui porte des chaussures reluisantes et fait une exhibition de son talent sur la plus haute marche de sa caravane ; Alexis, acrobate et funambule, qui sait danser et faire des sauts périlleux sur la corde raide ; d'autres encore, qui exécutent des tours moins remarquables et servent de partenaires à leurs camarades.

Les jeunes campeurs préparent le déjeuner sans Claude, qui tarde à revenir. Pourquoi est-elle absente si longtemps ? Elle n'a qu'un coup de téléphone à donner à son père !

La jeune fille reparaît enfin.

— J'arrive tard, reconnaît-elle. Mais j'ai dû attendre longtemps parce que mes parents ne répondaient pas au téléphone. D'abord, ça m'a inquiétée, puis j'ai supposé qu'ils étaient sortis. Enfin, j'ai eu maman au bout du fil. Elle m'a appris que papa était parti pour Paris et ne devait rentrer que vers minuit.

— Pour Paris ! s'exclame Annie, étonnée. Ton père n'y va pas souvent !

168

— Il a décidé de faire ce voyage à cause des deux savants. Il est convaincu de l'innocence de son ami Marcel Dumoutier, que la presse accuse ouvertement, et il est allé le dire aux autorités. Je ne pouvais attendre le retour de mon père, bien entendu, alors j'ai tout raconté à maman.

— Elle connaît le visage des deux scientifiques disparus ? demande François.

— Non, mais elle m'a passé Vincent. C'est l'assistant de papa ; il a dîné une fois à la maison. C'est un type très intelligent. Il m'a raconté qu'il avait rencontré Dumoutier une fois lors d'un congrès scientifique et qu'il se souvenait surtout de ses épais sourcils noirs.

Mick a l'air pensif.

— Hum... Cette description correspond à la figure qu'on a vue à la fenêtre... affirme-t-il.

Après le goûter, les jeunes vacanciers s'asseyent sur l'herbe et se reposent au soleil. Le beau temps persiste, ce qui est rare pour cette période de l'année. François regarde le vieux château. Il cherche des yeux la meurtrière de la tour qui les a tant intrigués. Elle est si loin qu'il la distingue à peine.

— Prête-moi tes jumelles, Claude, demande-t-il. J'ai envie d'examiner encore cette fenêtre. Il était à peu près cette heure-là, hier, quand on a vu quelqu'un là-haut.

Sa cousine va chercher les jumelles. Mais elle refuse de les prêter tout de suite. D'abord, elle les ajuste à sa vue et fixe ses yeux sur la fenêtre. Elle ne voit rien... jusqu'à ce que, soudain, une tête apparaisse dans l'étroite ouverture ! L'adolescente pousse une exclamation de surprise.

Mick s'empare aussitôt des jumelles, les dirige sur la tour et aperçoit le mystérieux visage. Oui, le même que la veille, avec d'énormes sourcils !

L'aîné du groupe se saisit à son tour de l'instrument, puis Annie et Jo, à tour de rôle, voient la tête qui regarde au-dehors. Elle paraît immobile... et soudain, une expression de peur tend ses traits. Alors, l'inconnu disparaît.

— C'est bien la preuve qu'on n'a pas eu des visions hier, déclare François, très agité. Et ça prouve aussi qu'on doit éclaircir ce mystère. Je suis de plus en plus persuadé que cet homme est retenu prisonnier dans le château de Mauclerc !

— On dirait bien, approuve Claude. Mais comment est-ce qu'il a pu monter là-haut ? C'est un endroit idéal pour cacher quelqu'un, bien sûr. Mais c'est aussi complètement inaccessible ! Souvenez-vous : on a bien examiné les lieux ce matin !

— Le seul moyen de savoir, intervient Jo, c'est de retourner au château et d'appeler ce monsieur de toutes nos forces. Il répondra peut-être, ou alors il jettera un message...

— Allons-y ! Sur place, il nous viendra certainement d'autres idées, si celle-ci ne marche pas ! s'écrie Claude qui meurt d'envie de passer à l'action. Après tout,

171

Dagobert a trouvé le moyen d'entrer à l'intérieur du château ! On peut en faire autant !

— Partons tout de suite ! renchérit Mick.

— Pas maintenant, s'oppose la jeune bohémienne. On pourrait être vus. Il vaut mieux attendre la nuit. On se mettra en route quand la lune se lèvera.

La fièvre de l'aventure dévore les Cinq, et Jo est la seule à garder un peu de bon sens ! Dagobert agite frénétiquement la queue.

— On emmène Dago au cas où on aurait des ennuis, précise Annie, pas très rassurée par le plan que préparent ses compagnons.

— Ne t'inquiète pas, il ne nous arrivera rien, la rassure François. On va seulement explorer le château, et on ne découvrira sans doute pas grand-chose. Il y a peu de chance qu'on parvienne en haut de la tour. Mais il nous faut au moins tenter de résoudre cette énigme !

Le soleil disparaît à l'horizon et l'air devient frais. Ils rentrent tous dans la roulotte des garçons et jouent aux cartes.

Ils font un dîner un peu fantaisiste, que leurs parents n'auraient certainement pas jugé bien équilibré : des sardines, des œufs durs, une terrine de pâté et, pour le dessert, des barres chocolatées.

— Mmm... savoure Annie, en froissant entre ses mains l'emballage rouge et doré. Que ces friandises sont bonnes... Du chocolat et du caramel, tout ce que j'aime...

— Dommage qu'on ne nous donne jamais ce genre de menu à la cantine ! soupire Mick.

— C'est vrai, ajoute Claude. Voilà un repas qui n'a demandé aucune préparation, et qui est délicieux ! Il n'est toujours pas l'heure de partir ?

— Si ! répond François. Enfilons nos pulls, et en route pour l'aventure !

chapitre 16

Le passage secret

Ils attendent que la lune disparaisse derrière un nuage, et, pareils à des ombres, ils descendent la colline aussi vite qu'ils le peuvent. Ils ne veulent pas être vus des forains. Puis ils grimpent le sentier abrupt qui conduit au château ; quand ils arrivent à la petite tour où se trouve la porte d'entrée des visiteurs, ils tournent à droite, et longent l'épais mur d'enceinte.

Il est difficile de marcher au pied de la muraille, car la pente de la colline est très raide. Dagobert les suit, amusé par cette promenade inattendue.

— Écoute-moi bien, Dago, chuchote

175

Claude. Il faut que tu nous montres comment tu es entré là ce matin. Tu comprends, Dag ? Vas-y, entre !

Le chien remue sa longue queue, pointe les oreilles et se met à flairer. Il avance, humant l'air. Soudain, il s'arrête et regarde derrière lui. Il aboie comme pour appeler ses amis.

Malheureusement, au même moment, la lune disparaît derrière un nuage. François allume sa lampe de poche et la dirige sur Dagobert. Ce dernier attend, satisfait.

— Tu as l'air bien content, dis-moi ! constate Mick, surpris. Pourtant, je ne vois pas de trou ! Ce n'est donc pas par ici que tu as pu pénétrer dans le château. Qu'est-ce que tu essaies de nous montrer ?

L'animal aboie encore. Puis, soudain, il prend son élan, fait un bond d'un mètre sur les pierres inégales et disparaît !

— Ça alors ! Il est où ? interroge Annie, stupéfaite, en cherchant à la lueur de la lampe de poche de son frère. Hé ! Regardez ! Il manque une pierre en haut, là. Une très grosse pierre ! Dago est passé par le trou !

— C'est quand même étonnant... souligne Claude. Ce mur est très épais, et même si une pierre se détache, il y en a certainement d'autres derrière !

— Je vais aller voir ! annonce Jo.

Elle se met à grimper. Elle arrive à l'endroit où le bloc manque, et l'éclaire.

— Très intéressant ! déclare-t-elle, triomphalement. Le mur est creux ici et Dagobert a disparu dans la cavité !

À l'annonce de cette nouvelle, tous les enfants s'agitent.

— À ton avis, est-ce que l'ouverture est assez large pour qu'on l'emprunte nous aussi ? demande François.

— Je ne sais pas, répond la jeune fille. Je vais appeler Dago pour voir où il est ! Dagobert ! Dagobert !

Un aboiement assourdi lui parvient, puis les yeux du chien brillent dans l'ombre. Il se tient au-delà du vide laissé par la pierre manquante.

177

— Il est ici ! crie Jo. Vous savez ce que je pense de cette découverte ? Quand cet énorme mur a été bâti, les constructeurs ont laissé un espace à l'intérieur pour faire un passage secret. La chute de cette pierre a permis de révéler cette astuce. Venez me rejoindre !

— On arrive ! répond Mick.

Les jeunes aventuriers escaladent lentement les grosses pierres. Lorsqu'ils sont arrivés à la hauteur de leur amie, François se faufile le premier à l'intérieur de la cavité. Il éclaire alors de sa torche électrique l'endroit où il se trouve.

— C'est une sorte de couloir très étroit, explique-t-il. On va être obligés de se plier en deux pour le parcourir. Annie, viens ! Je vais t'aider à te hisser !

— Tu es sûr qu'on peut respirer, là-dedans ? questionne la fillette.

— Oui, mais ça sent une odeur de moisi, précise son frère. Enfin, si c'est réellement un passage secret, il doit y avoir des trous d'aération quelque part, pour renouveler l'air.

Bientôt, ils sont tous dans le corridor de pierre. Ils se sentent vite fatigués de marcher courbés. Chacun des enfants est muni d'une lampe de poche, excepté Jo.

La benjamine du groupe éprouve une sorte d'angoisse et pourtant pour rien au monde elle n'aurait voulu abandonner ses compagnons.

François s'arrête brusquement, et chacun heurte celui qui le précède.

— Qu'est-ce qui se passe ? demande Claude, la dernière de la file.

— J'arrive à un escalier, répond son cousin. Un escalier qui descend, avec des marches très étroites. Faites bien attention !

En effet, les marches sont très raides.

— Il vaut mieux descendre à reculons, comme sur une échelle, conseille Jo. Comme ça, on aura des appuis pour les mains et pour les pieds.

L'escalier possède une douzaine de

degrés. Après que François est arrivé en bas, Annie le rejoint, suivie des trois autres.

En bas, il y a un autre couloir, plus large et plus haut. Les jeunes explorateurs se sentent soulagés de pouvoir marcher normalement.

— Je me demande où ça conduit... murmure Mick.

La petite troupe s'arrête pour réfléchir un instant.

— Ce passage est à angle droit avec la muraille d'enceinte, analyse Claude. Ce qui signifie qu'on n'est plus à l'intérieur du mur de pierre, mais qu'on marche sous la cour.

Personne ne peut dire exactement vers où ils se dirigent. La galerie s'étend, rectiligne, sur vingt-cinq mètres environ. Arrivés au bout, les enfants marquent une nouvelle halte.

— Encore un escalier ! annonce François. Aussi raide que l'autre, mais, cette fois, il monte. Peut-être vers l'intérieur du

180

château ? Je commence à penser qu'on est dans un passage secret qui mène dans l'une des anciennes chambres !

Ils gravissent les marches avec précaution et débouchent dans une toute petite pièce qui semble avoir été creusée dans le mur même du château. Ils s'arrêtent, surpris. Cette pièce n'est pas plus large qu'une grande armoire. D'un côté, il y a un banc, avec une tablette fixée au-dessus ; sur la tablette, une cruche très ancienne, avec une anse brisée. Sur le banc est posé un petit poignard rouillé.

— On dirait une chambre secrète, comme il y en avait autrefois ! constate Mick. On est à l'intérieur de l'un des murs du château. Si ça se trouve, on est même dans la paroi d'une vraie chambre.

Il promène le faisceau de sa lumière autour de lui dans l'espoir de découvrir autre chose d'intéressant. Soudain, il pousse une exclamation de surprise et garde sa lampe braquée sur un coin de la chambre.

— Quoi ? demande Jo.

— Un papier... un papier rouge et doré !
C'est l'emballage de nos barres chocolatées préférées ! Vous savez que la présen-
tation de cet emballage est nouvelle ; il y
a seulement quelques mois, les tablettes de
chocolat et de caramel étaient encore
enveloppées dans du papier jaune.

— Oui, tu as raison, acquiesce Annie.
Je me souviens qu'à l'école, tout le monde
trouvait le nouvel habillage rouge et or
beaucoup plus joli et bien plus moderne !

Elle le ramasse et le défroisse. Oui, le
nom de leur marque favorite est bien inscrit sur le papier. Chacun reste silencieux.
Cette trouvaille ne peut signifier qu'une
seule chose : quelqu'un a pénétré dans
cette chambre très récemment. C'est un
indice précieux...

— Il faut qu'on se tienne sur nos
gardes, avertit Jo à voix basse. L'inconnu
qui est déjà passé par ici peut revenir à
l'improviste....

— Oui, il serait sans doute plus prudent de retourner en arrière, estime sa cousine.

— Non, objecte Claude résolument. On doit poursuivre cette enquête !

De cette chambre secrète part une espèce de long boyau qui débouche sur un escalier en spirale. Quand ils l'ont gravi, ils arrivent à une porte étroite dont la poignée est un grand anneau de fer.

François reste perplexe devant la porte. Doit-il l'ouvrir ? Il hésite un moment, puis regarde ses compagnons et leur dit :

— J'y vais ?

— Oui, soufflent les autres, sans hésitation.

Le jeune garçon empoigne l'anneau et le tourne doucement. Il ne fait aucun bruit. Le battant s'ouvre silencieusement. Les enfants s'attendent à trouver une chambre, mais ils découvrent une galerie qui semble courir tout autour du mur intérieur de la tour. Un pâle rayon de lune s'infiltre à travers une meurtrière. En avançant, Mick se rend compte que son regard s'enfonce dans les ténèbres d'une grande salle circulaire qui occupe tout un étage de la tour, le troisième vraisemblablement.

Les enfants progressent le long de la rampe. Tout est parfaitement calme. La jeune bohémienne chuchote :

— Vous voyez un moyen pour monter encore plus haut ? Il y a peut-être un autre escalier qui part de cette galerie ?

— Explorons-la et on verra bien, répond son cousin. Mais, surtout, pas un bruit ! Et faites attention, certaines pierres sont presque descellées, elles bougent sous les pieds par endroits.

Claude avance en tête dans la galerie circulaire. Ce lieu était-il autrefois réservé aux représentations théâtrales ? Les jeunes explorateurs voudraient bien remonter le cours du temps et s'appuyer à la balustrade pour voir ce qu'on faisait là, du temps où le château était habité...

Ils ont parcouru à peu près les trois quarts de la balustrade en pierre quand ils trouvent quelques marches qui descendent dans la grande salle. Mais au niveau de la première marche, il y a une porte dans le mur, semblable à celle qu'ils viennent de franchir. Elle a aussi une poignée en forme d'anneau. La maîtresse de Dagobert essaie de l'actionner doucement mais c'est sans effet. La jeune fille fait tourner la grande clef qui est dans la serrure. Mais la porte ne s'ouvre pas davantage.

Alors, elle s'aperçoit qu'un verrou est tiré. Ce qui signifie qu'il y a un prisonnier de l'autre côté ! Est-ce l'homme dont ils ont aperçu le visage ? Claude se retourne et murmure dans le creux de l'oreille d'Annie :

— On dirait qu'on touche au cœur de l'énigme. Envoie-moi Dagobert !

La fillette pousse le chien en avant. Il pointe les oreilles et flaire, attentif.

« On arrive probablement à l'escalier qui conduit à la plus haute pièce de la tour, pense sa maîtresse. Celle où se trouve l'homme qu'on a aperçu. »

Elle fait glisser le verrou doucement, et

pousse la porte. Le battant s'ouvre, avec un léger grincement. Les enfants éteignent leurs lampes et écoutent. Aucun bruit ne leur parvient.

Alors, Claude rallume sa torche électrique. Devant elle, un nouvel escalier monte à pic. Le prisonnier doit être en haut ! Qui est-ce ?

— Allons-y, décide Jo à voix basse. Et, pas un bruit !

chapitre 17

Une nuit mouvementée

Dagobert voudrait avancer plus vite, mais Claude le tient par le collier. Ils montent l'escalier de pierre, abrupt et étroit. Les autres suivent, sans souffler mot. Tous portent des chaussures de sport. Le chien est le plus bruyant d'entre eux, car ses griffes cliquètent sur le sol.

En haut se trouve une nouvelle porte. Les jeunes explorateurs tendent l'oreille, et un son guttural, une espèce de grognement, leur parvient. Tout d'abord, ils ne peuvent déterminer l'origine de ce bruit. Puis, tout à coup, ils comprennent !

— C'est un ronflement ! Quelqu'un

187

dort de l'autre côté ! affirme Mick. C'est une chance ! On peut risquer un coup d'œil et voir qui c'est, non ? On est certainement en haut de la tour maintenant.

La porte n'est pas fermée à clef. Le garçon l'ouvre et regarde à l'intérieur. Le chien gronde sourdement. Un rayon de lune, passant par la fenêtre, éclaire le visage d'un homme endormi. Mick l'examine attentivement, avec un intérêt grandissant. Ces sourcils ! Oui, c'est bien la tête aperçue avec les jumelles !

« C'est Marcel Dumoutier ! pense-t-il, en se déplaçant comme une ombre dans la pièce. Peut-être qu'Antoine Tessier est là aussi ? »

Il regarde autour de lui, mais ne voit personne. Quelqu'un serait-il dissimulé dans les ténèbres ? Il tend l'oreille. Seule la respiration rauque du dormeur lui parvient. Rien d'autre. Claude contient toujours le chien, qui tire sur son collier, et flaire, inquiet de cette nouvelle présence.

François, qui se tient juste derrière son

188

frère, allume sa lampe de poche et projette le rayon lumineux vers les coins sombres. Il n'y a là personne d'autre que l'homme endormi. Soudain, l'aîné des Cinq s'aperçoit que celui-ci est ligoté ! Ses mains sont attachées derrière le dos et ses jambes sont liées ensemble. S'il s'agit bien du savant disparu, alors le père de Claude a raison. Ce n'est pas un traître, mais une victime – il a été enlevé et fait prisonnier dans ce lieu sinistre !

Tous les enfants sont maintenant entrés dans la pièce, et observent le dormeur. Il ronfle toujours, la bouche ouverte.

— Qu'est-ce qu'on doit faire ? demande Claude tout bas. Le réveiller ?

Mick répond par un signe de tête affirmatif. Il se penche sur le dormeur, le prend par l'épaule et le secoue.

L'individu ouvre aussitôt les yeux et regarde avec effarement le petit groupe. D'un bond, il se redresse.

— Qui êtes-vous ? questionne-t-il. Comment êtes-vous parvenus jusqu'ici ?

— Ne vous inquiétez pas, le rassure François. Dites-nous juste une chose : vous êtes bien Marcel Dumoutier ?

— Oui, c'est moi. Et vous ?

— Nous campons sur la colline qui fait face au château, répond le jeune garçon. Grâce à nos jumelles, on vous a aperçu dans la fente de cette étroite fenêtre. Alors, on a décidé de venir vous chercher.

— Mais.... Comment avez-vous su qui j'étais ? interroge le savant, très surpris.

— Les journaux ont beaucoup parlé de vous, répond Claude. Mais surtout, mon père est un de vos collaborateurs. Il s'appelle Henri Dorsel. C'est son assistant, Vincent, qui m'a décrit votre visage, et en particulier vos sourcils. Voilà comment on vous a reconnu !

— Je comprends... Pouvez-vous me libérer de mes liens ? Il faut absolument que je m'échappe. Demain soir, mes ennemis vont venir me chercher pour me conduire dans une voiture jusqu'à la mer. Un bateau doit m'emmener je ne sais où !

190

Mais il est clair qu'une puissance étrangère veut que je lui vende le résultat de mes dernières expériences !

— On va couper les cordes, déclare Jo.

Elle sort son couteau de poche et tranche les nœuds qui unissent les poignets de Marcel Dumoutier. Puis elle lui libère les jambes. Dagobert observe cet inconnu, prêt à bondir s'il fait un geste menaçant vers ses amis !

— Ah ! Je me sens mieux, soupire l'homme en s'étirant.

— Comment est-ce que vous avez pu aller jusqu'à la fenêtre ? demande Annie en le regardant frotter ses bras et ses genoux raides.

— Chaque soir, l'un de mes geôliers m'apporte à manger et à boire, explique le scientifique. Il me délie les mains pour que je puisse m'alimenter. Il s'assoit dans un coin et lit son journal, sans s'occuper de moi. Je me traîne jusqu'à la meurtrière pour respirer un peu d'air frais. Bien entendu, je ne peux pas rester là longtemps, parce que je suis vite fatigué. C'est incroyable que vous ayez pu me voir à cette étroite fenêtre, si profondément encastrée !

— Mes jumelles sont très puissantes, se vante Claude.

— Oh ! l'interrompt Jo. J'entends un bruit !

— Où ? demande François en se retournant brusquement.

— En bas, souffle la jeune bohémienne. Attendez ici, je vais voir ce que c'est !

Elle sort de la salle où les enfants sont rassemblés autour de Marcel Dumoutier, et descend le petit escalier. Puis elle se glisse dans l'entrebâillement de la porte qui conduit à la galerie. Oui, quelqu'un approche ! Des pas résonnent. Jo se met à réfléchir rapidement. Si elle court prévenir ses amis, l'arrivant pourrait refermer le verrou sur eux et faire cinq prisonniers de plus ! Elle décide de s'aplatir sur le sol en pierre, devant la porte qui conduit au donjon du savant.

La jeune fille écoute, le cœur battant. Les pas retentissent lourdement. Dès qu'elle parvient à déterminer par où l'homme arrive, elle rampe pour dégager la porte et s'éloigner le plus possible. Les pas s'arrêtent devant la porte entrebâillée. Jo imagine la surprise de l'arrivant. Un silence de mort suit. L'adolescente craint qu'on entende les battements de son cœur, tant il saute dans sa poitrine. Elle a envie de crier pour avertir les autres, et pourtant, il faut se taire....

À ce moment, la voix de François appelle du haut de l'escalier :

— Jo ! Jo ! Où es-tu ?

Puis la bohémienne entend le jeune garçon qui descend les marches. Il la cherche !

« Ne viens pas, ne viens pas !... », murmure-t-elle.

Mais François approche, suivi de Dumoutier, et du reste de la bande. Ils ont décidé de quitter au plus vite cet endroit lugubre.

L'inconnu, en entendant les voix et les pas, claque la porte et tire précipitamment le verrou. Les pas dans l'escalier s'arrêtent aussitôt.

— Hé ! Jo ! C'est toi ? crie Mick. Ouvre la porte !

La voix du mystérieux individu s'élève, furieuse :

— La porte est verrouillée ! Vous êtes prisonniers. Qui êtes-vous ?

Il y a un silence, puis Marcel Dumoutier prend la parole :

— Je vois que vous êtes de retour, Tessier ! Ouvrez cette porte ! Tout de suite !

Antoine Tessier ! L'autre savant disparu ! Le spécialiste du Moyen Âge ! C'est donc lui qui a séquestré Dumoutier !

L'historien, debout devant la porte, paraît hésiter sur l'attitude à prendre. Jo s'aplatit encore davantage dans la galerie et écoute.

— Qui est avec vous ?

— Écoutez, Antoine, répond Dumoutier. J'en ai assez de cette sinistre farce !

194

Il faut que vous ayez perdu la raison pour agir ainsi ! Il y a quatre enfants ici, qui m'ont vu à la fenêtre et sont venus faire une enquête....

— Quoi ! Des enfants ! s'exclame Tessier, ahuri. Au milieu de la nuit ? Comment sont-ils montés dans cette tour ? Je suis le seul à connaître ce passage...

— Ouvrez la porte ! crie le savant captif, hors de lui.

Il donne un grand coup de pied dedans, mais le bois est épais et solide.

— Retournez en haut de la tour, ordonne le bandit, sarcastique. Je vais devoir modifier nos plans à cause de cette intrusion. Nous serons probablement obligés d'emmener ces enfants avec nous. Ils vont bien regretter d'avoir voulu vous libérer ! Le voyage et le séjour que je leur offrirai ne seront certainement pas de leur goût !

Tessier tourne les talons et repart par la voie qu'il a prise pour venir. Jo comprend qu'il s'agit bien de la cavité qu'ils avaient découverte dans le mur d'enceinte grâce au chien de Claude. Elle attend un certain temps. Quand le silence est revenu, la jeune bohémienne pense qu'il n'y a plus de danger, elle se rue alors sur la porte du donjon et la martèle de ses poings.

— Mick, Mick ! Descends ! hurle-t-elle.

Elle entend la voix de son ami, et des pas descendent en courant.

— Jo ! Déverrouille la porte, vite !

L'adolescente tire le verrou, et s'arrête net.

— Il n'y a pas de clef dans la serrure ! s'écrie-t-elle, désespérée. Tessier a dû partir avec ! Oh ! Comment vous sortir de là, maintenant ?

— Dépêche-toi de t'échapper d'ici et va chercher de l'aide ! répond Mick. Vite, Jo, notre sort est entre tes mains !

— Je n'ai pas de lampe de poche, gémit la jeune fille d'un ton lamentable.

— C'est vrai... Il ne faut pas prendre le moindre risque. Attends jusqu'à demain

matin. Dès que la lumière du jour pénè-
trera à travers les meurtrières, tu pourras
retrouver ton chemin !

— D'accord. Je partirai dès l'aube. Je
vais dormir sur le sol de la galerie.

— On va retourner dans la salle du
haut. Appelle-nous en cas de besoin. C'est
quand même une chance que tu sois libre !

— Notre seule chance... ajoute Dumoutier, qui se tient près du jeune garçon.

Jo se couche par terre, mais ne peut
s'endormir. La pierre est si froide ! Elle
pense soudain à la petite chambre secrète,
où il y a une cruche, un poignard et le
papier d'emballage de chocolat.

« Ce sera une bien meilleure place pour
dormir ! Je pourrai au moins m'étendre sur
le banc ! » se dit-elle.

Elle se lève, essaie de se souvenir des
lieux parcourus avec ses camarades, et en
conclut qu'elle doit tourner autour de la
galerie jusqu'à la porte qui donne accès à
l'escalier en spirale conduisant à la petite
chambre secrète. Elle avance prudemment,

cherche l'anneau de fer, le tourne et ouvre la porte. Il fait aussi noir que dans un four ; elle tâte le sol du pied, pour s'assurer qu'elle est bien en haut de l'escalier en colimaçon. Elle étend les mains de chaque côté, se tenant aux murs, et descend lentement, une marche après l'autre.

« Est-ce que je suis vraiment sur la bonne voie ? Je me suis peut-être trompée... L'escalier semble interminable ! pense Jo, angoissée. Allez, il ne faut pas avoir peur ! En avant ! »

chapitre 18

Une surprise pour Jo

Jo arrive enfin au pied de l'escalier en spirale. Elle se souvient du petit passage rectiligne qui conduit à la chambre secrète. Elle avance prudemment. Elle sera bientôt parvenue à son but et pourra s'étendre sur le banc !

Elle franchit la porte de la petite pièce sans le savoir, car celle-ci est restée ouverte, et l'obscurité est complète. Elle se guide en s'appuyant à la muraille, et soudain sent contre sa jambe l'extrémité du banc.

« Ouf ! » fait-elle tout haut, soulagée.

Alors, des bras puissants la saisissent.

La pauvre Jo a une peur affreuse ! Elle pousse un cri strident, et se débat, le cœur battant à se rompre. Qui l'attaque ?

Une lumière jaillit, qui l'aveugle quelques secondes.

— Alors ça doit être toi, la fameuse Jo ! dit la voix de Tessier. Je me suis demandé où tu te cachais, quand les enfants t'ont appelée ! J'ai pensé que tu ne pouvais pas être bien loin, et que tu passerais forcément par ici pour essayer de t'échapper. Je n'ai eu qu'à m'installer sur ce banc et à t'attendre tranquillement !

— Laissez-moi ! s'égosille la bohémienne en se débattant de toutes ses forces.

Mais son agresseur la tient bien. La jeune fille baisse soudain la tête et mord cruellement la main de Tessier. Il pousse un cri et lâche prise. Jo tente de se sauver, mais il la rattrape presque aussitôt et la secoue.

— Sale gamine ! vocifère-t-il. Ne fais plus jamais ça !

Elle recommence, encore plus férocement. L'homme la laisse tomber par terre. Il saigne abondamment. L'adolescente cherche à s'échapper de la chambre, mais le bandit est plus rapide. Une poigne de fer s'abat sur elle de nouveau.

— Toi, je vais t'attacher si fermement que tu ne pourras plus bouger ! assure l'homme, furieux. Et je te laisserai ici, dans le noir, jusqu'à ce que je revienne !

Il prend une corde nouée autour de sa ceinture et ligote sa proie. Il lui lie les mains derrière le dos, entrave ses jambes. Elle roule sur le sol, folle de rage, en hurlant les pires injures qu'elle connaît.

— Je m'en vais, maintenant ! déclare Tessier en épongeant avec son mouchoir le sang qui coule de sa main blessée. Tu auras le temps de réfléchir aux risques qu'on encourt quand on se mêle des affaires des autres ! Bonne méditation !

Jo entend le bruit de ses pas décroître dans le couloir. Elle s'en veut terriblement de n'avoir pas deviné que le savant pou-

201

vait l'attendre à cet endroit. Personne ne viendra à son secours ! Elle pense à ses amis, enfermés là-haut, dans la tour, et qui comptent sur elle pour les libérer. Une larme roule sur sa joue. S'ils pouvaient la voir, étroitement ligotée par un homme dont elle n'a même pas pu voir le visage, étouffant de rage impuissante et de chagrin !

Pauvre Jo ! Ses paupières se ferment malgré elle. Cette longue course dans la nuit et cette lutte contre Tessier l'ont épuisée. Elle sommeille, mais sa position est tellement inconfortable qu'elle s'éveille toutes les cinq minutes.

Au bout d'un moment, une pensée émerge dans son esprit. Elle pense à Valentin, l'homme-caoutchouc. Dans son numéro, il se retrouve ligoté des pieds à la tête et parvient à s'en libérer. La jeune fille l'a observé bien des fois. L'une des ruses de l'artiste pourrait bien lui servir maintenant !

« Lui s'échapperait de ces liens en deux

minutes », pense-t-elle, et elle commence à s'agiter dans tous les sens.

Mais elle n'est malheureusement pas l'homme-caoutchouc et, après quinze minutes d'efforts, elle est vaincue par la fatigue et s'endort encore une fois.

Quand elle se réveille, elle se sent mieux. Elle s'assied avec peine et se met à réfléchir.

« Attaque-toi d'abord à un nœud, se dit-elle en se souvenant des conseils de Valentin. Évidemment, on ne peut deviner lequel est le plus facile à défaire. Mais ce qu'il y a de sûr, c'est qu'on peut se dépêtrer en deux minutes, à condition de le trouver ! »

Elle se répète ces paroles et essaie de découvrir une boucle qui ne soit pas trop serrée. C'est long. Enfin, elle en repère une qui paraît plus lâche que les autres. C'est celle qui tient ses poignets réunis. Elle fait tourner sa main droite et réussit au bout d'un moment à mettre son pouce sur le nœud, à l'enfoncer dedans, à tirer.

Il se relâche un peu. Elle peut mieux remuer maintenant. Si seulement elle avait un couteau ! Elle arriverait peut-être à couper la corde !

Soudain, elle perd patience et, renversant la tête en arrière, se met à tirer sur la corde d'une façon désordonnée, furieuse. Son crâne heurte le banc et quelque chose tombe à terre avec un bruit métallique. Jo se demande de quoi il s'agit, puis elle comprend.

— Le poignard ! Le vieux poignard tout rouillé ! Oh ! si je pouvais le trouver dans le noir ! J'essaierais de l'utiliser !

Elle se roule par terre en tous sens, jusqu'à ce qu'elle sente le couteau sous elle. Puis elle réussit à l'attraper avec ses deux doigts libres.

Elle s'assied, se penche en avant et fait toutes sortes d'efforts et de contorsions pour que la lame glisse sur la corde qui lui lie les mains derrière le dos. C'est très difficile. La ficelle rugueuse la fait souffrir à chaque mouvement. Mais elle persévère.

Au bout d'un moment, elle se sent si fatiguée qu'elle doit s'arrêter. Puis elle essaie de nouveau, mais elle se fait une coupure à la main. Heureusement, la plaie n'est pas profonde, mais la jeune fille est obligée de se reposer encore. À la troisième tentative, elle a enfin de la chance. La corde cède. Elle tire fort, ses mains sont un peu plus libres et elle s'attaque à un autre nœud.

Il lui faut longtemps pour libérer ses bras ; quand elle y est arrivée, elle croit qu'il sera impossible de défaire les liens de ses jambes, tant elle tremble. Mais après un temps de repos, elle vient à bout de son harnachement et se trouve libre !

— Heureusement que j'ai appris quelques tours de l'homme-aux-liens, conclut-elle tout haut. Jamais je ne m'en serais sortie sans ça !

Elle se demande quelle heure il peut être. La petite pièce est toujours plongée

205

dans l'obscurité, puisqu'elle ne comporte aucune ouverture extérieure. La bohémienne se lève et constate que ses jambes chancellent. Elle fait quelques pas mal assurés et s'assied de nouveau. Dès qu'elle le peut, elle se remet debout.

« Maintenant, il faut que je trouve le moyen de quitter le château, pense-t-elle. Dommage que je n'aie pas de lampe de poche ! »

À tâtons, elle repère les lieux. Elle descend les quelques marches qui partent de la petite chambre et conduisent au large passage situé sous la cour du château. Jo avance, heureuse qu'il soit sans embûches, puis arrive à l'escalier de pierre qui montait à pic. Elle grimpe, angoissée par les ténèbres, mais certaine qu'elle ne se trompe pas de route.

Alors, elle trouve l'étroit boyau où il faut marcher tout courbé, celui qui court dans l'intérieur du mur d'enceinte. La jeune aventurière pousse un soupir de soulagement. Bientôt, elle atteindra la cavité creusée dans la muraille et pourra enfin respirer de l'air pur ! Oh ! sortir de ce trou noir !

Comme au bout d'un tunnel, l'adolescente voit la lumière du jour d'assez loin. C'est d'abord comme une petite tache blanche.

« J'approche de la sortie ! Oh ! Que je suis contente ! » songe-t-elle en hâtant le pas, autant que le lui permet son inconfortable position.

Avant de sauter hors du trou, elle s'accroupit un instant sur la pierre, humant l'air frais avec délices. Elle a eu très froid, sans même s'en rendre compte, à travers toutes ses émotions. Le soleil la réchauffe, lui redonne des forces. Elle remarque qu'il est haut dans le ciel, et indique que déjà l'après-midi est commencé !

Elle regarde attentivement autour d'elle. Si près d'être libre, elle ne veut pas risquer d'être attrapée par quelqu'un qui, peut-être, garde les abords du passage secret ! Elle ne voit personne et saute hors du trou avec légèreté. Elle court tout le long du sentier abrupt avec une sûreté et une rapidité d'acrobate. Lorsqu'elle est en vue du terrain de camping, elle accélère encore.

Elle approche du campement quand soudain quelqu'un attire son attention. Qui est-ce ? Elle n'a pas pu voir les traits de l'individu et craint qu'il s'agisse de Tessier... Il parle d'un ton pressant aux forains. Ceux-ci l'écoutent poliment, mais Jo se rend compte qu'ils ne prennent pas le visiteur au sérieux.

Elle avance un peu plus près, et l'entend demander où sont François et les autres. Comme les saltimbanques lui répondent qu'ils ne savent pas où les enfants sont partis, il se met en colère.

« Aucun doute, c'est le savant qui m'a ligotée, se dit l'adolescente, et elle juge plus prudent de se glisser sous une roulotte. À tous les coups, il est venu pour savoir si on a parlé du prisonnier de la tour... »

Elle reste cachée jusqu'à ce qu'il disparaisse dans le chemin, hurlant qu'il va avertir la police.

La jeune fille sort de sa cachette et les forains l'entourent aussitôt.

— Où étais-tu ? demandent-ils. Où sont tes camarades ? Ce type nous a longuement interrogés à leur sujet. Il nous a posé une foule de questions ! On dirait qu'il est un peu timbré !

— C'est un bandit ! répond Jo. Je vais vous raconter ce que je sais de lui. Quant à mes amis, il faut vite aller à leur secours !

Elle se lance dans un récit confus, commençant l'histoire par le milieu, puis la reprenant au début, jetant au hasard ce qui lui vient à l'esprit... Quand elle s'arrête, les saltimbanques n'ont pas compris grand-chose, sinon qu'il se passe des événements graves, et que les enfants courent un grand danger.

— Tu dis que tes amis sont enfermés dans la tour qu'on voit là-bas ? C'est bien ça ? demande Alfredo, ahuri. Et il y a un espion avec eux ?

— Non, ce n'est pas un espion, c'est un scientifique, un ami du père de Claude... L'espion, c'est celui qui vient de vous quitter. Il a enlevé le bon savant et l'a emprisonné dans le donjon du château, pour l'emmener dans un pays étranger. Et il m'a ligotée, comme je vous l'ai dit. Regardez mes poignets et mes chevilles !

Les artistes sont bouleversés : la coupure qu'elle s'est faite à une main a saigné. Ils observent en silence, indignés. Puis Buffalo fait claquer son fouet, ce qui fait sursauter tout le monde.

— Nous les sauverons ! annonce-t-il résolument.

— Regardez, c'est le type qui revient ! s'écrie soudain Fanny.

En effet, il a fait demi-tour, pour poser d'autres questions !

— Ça tombe bien ! estime Tony. Nous devons le capturer !

Tous les saltimbanques attendent sans

bouger que l'inconnu arrive près d'eux. Puis ils l'entourent ; il est pris dans un cercle étroit. Alfredo s'approche alors et saisit l'homme, qu'il traîne jusqu'à une caravane. Là, il le ficelle, et ferme la porte à double tour.

— En voilà un ! déclare le cracheur de feu. Et maintenant, à qui le tour ?

chapitre 19

Opération commando !

Le prisonnier proteste si violemment qu'on l'entend de l'extérieur, bien que la porte et les fenêtres soient closes. Mais lorsque le dresseur de serpents ouvre la porte pour laisser passer l'un de ses pythons, l'homme cesse aussitôt de crier et reste muet.

Satisfait du résultat obtenu, Tony fait sortir l'impressionnant reptile. Mais le détenu a compris la leçon. Il se tait.

Les forains se réunissent et tiennent conseil. Ils décident tout d'abord de ne rien tenter avant la tombée de la nuit.

— Il faut agir très discrètement,

explique Buffalo. Ce bandit, en constatant la disparition de Jo, a peut-être chargé ses complices de surveiller les abords du château...

Tout le monde approuve.

— Comment on fera pour sortir les enfants de là ? demande Fanny. Est-ce qu'il faudra prendre le passage secret et ses escaliers si raides ?

— Non, ça ne sert à rien, assure la jeune bohémienne. Vous perdriez votre temps. La porte qui conduit à la tour est verrouillée, je vous l'ai dit. Et Tessier a emporté la clef.

— Mais oui ! La clef ! s'écrie son oncle en se levant brusquement. Je vais ordonner à notre otage de nous la donner immédiatement !

— Tiens, je n'y avais pas pensé... avoue Jo.

Elle suit des yeux le cracheur de feu qui monte les marches de la caravane.

Il revient au bout de deux minutes, en disant :

— Ce type n'a pas de clef sur lui. Il prétend qu'il n'en a jamais eu, qu'on est tous fous et qu'il ira se plaindre à la police !

— Ha ! ricane Mme Alfredo. Il ne risque pas d'alerter grand monde pour le moment ! Il a dû se débarrasser de la clef, ou la remettre à un complice !

— En tout cas, on ne peut pas passer par la porte qui conduit au donjon... conclut Tony. Bon. Il y a peut-être un autre moyen de pénétrer dans cette pièce ?

— Seulement par la fenêtre, déclare la petite rescapée. Cette étroite ouverture, là-bas, vous voyez ? Mais elle est trop haute pour qu'on puisse l'atteindre avec une échelle. Il faudrait tout d'abord pénétrer dans la cour du château. Et peut-être grimper le long du mur...

— Ce n'est pas difficile, intervient l'homme-caoutchouc. Je m'en charge. J'ai l'habitude. C'est mon métier de me faufiler partout !

215

Il regarde la tour attentivement, et ajoute en se grattant la tête :

— Tout de même, je n'ai jamais escaladé un mur aussi haut...

— Cette espèce de meurtrière est-elle assez large pour laisser passer un homme ? interroge Buffalo.

— Oui, assure Jo. Mais, enfin, personne ne pourrait monter jusqu'à cette fenêtre !

— Il faut mettre au point un plan. C'est possible, ce n'est même pas très compliqué. Tu nous prêteras bien ton échelle de corde, Valentin ? demande-t-il à l'homme-caoutchouc.

— Bien sûr ! répond ce dernier.

La jeune fille connaît cette échelle de corde, si fine et si solide.

— Comment fixer la corde en haut ? questionne-t-elle, intriguée.

— Il y a un moyen. Mais arrête de m'interrompre tout le temps ! gronde Buffalo.

La bohémienne, vexée, s'éloigne de quelques pas. Elle s'aperçoit tout à coup

216

qu'elle a terriblement faim et disparaît dans la caravane de son oncle pour se concocter un petit repas froid. Quand elle revient, tout semble réglé.

— On partira à la tombée de la nuit, annonce Alfredo. Jo, je préfère que tu restes ici. L'opération est très risquée.

— Quoi ? Vous n'allez certainement pas partir sans moi ! rétorque sa nièce, scandalisée qu'on veuille la tenir à l'écart de cette expédition. Ce sont mes amis ! J'irai avec vous !

— Pas question ! déclare le cracheur de feu d'un ton sans réplique.

La jeune fille pense qu'il vaut mieux ne pas insister. Mais elle décide aussitôt de se cacher quelque part, de façon à pouvoir, le moment venu, suivre les forains.

Il est environ six heures du soir. Buffalo et Valentin disparaissent dans la roulotte de ce dernier, et s'activent à une mystérieuse besogne. Jo s'approche et risque un coup d'œil à la porte pour voir ce qu'ils font. Mais ils lui ordonnent de s'éloigner.

— Ce n'est plus ton affaire, maintenant, expliquent-ils en lui fermant la porte au nez. Ton oncle ne veut pas que tu coures le moindre danger !

Quand vient la nuit, un petit groupe quitte le camp. Les saltimbanques se sont aperçus de la disparition de l'adolescente et l'ont cherchée ; ils connaissent son entêtement et redoutent qu'elle ne les suive malgré eux. Mais elle est restée introuvable, et ils décident de se mettre en route. Buffalo marche en tête. Il a l'air beaucoup plus gros que d'habitude, car il a enroulé de très longues cordes autour de sa taille. Il a aussi embarqué son fouet, bien que personne ne sache vraiment pourquoi. Le forain se promène toujours avec son objet fétiche, ça fait partie de son personnage, aussi ses camarades ne le questionnent pas à ce sujet. Il est suivi de Tony, qui porte l'un de ses pythons autour du cou. Ensuite viennent Valentin et Alfredo.

Loin derrière eux, telle une ombre, Jo suit. Que vont-ils faire ? Elle a observé la tour pendant les deux dernières heures, et quand la nuit est venue, elle a vu briller une lumière là-bas, une lumière qui s'allume et s'éteint, inlassablement...

« C'est Mick, François ou Annie qui font des signaux, pense-t-elle. Ils doivent s'étonner que je n'aie pas réussi à leur apporter du secours. Ils ne peuvent pas deviner que j'ai été ligotée et abandonnée dans la chambre secrète. J'aurai là une bonne histoire à leur raconter quand on sera de nouveau tous réunis ! »

Le petit groupe parcourt le long chemin jusqu'au pied du mur du château. À peine arrivé, Valentin prend son élan, escalade le mur comme un chat, arrive en haut et disparaît de l'autre côté !

— Quelle souplesse, tout de même ! murmure le dresseur de serpents, admiratif. Je ne crois pas qu'il puisse jamais se blesser ! Il porte bien son nom d'homme-caoutchouc !

Ils entendent un coup de sifflet très bref qui vient de derrière le mur. Buffalo déroule un filin de sa ceinture, attache une pierre à un bout et la lance par-dessus la muraille. Le câble se tortille comme un long serpent et la pierre retombe près de Valentin, avec un bruit sourd. Un second coup de sifflet les avertit que leur compagnon attend la suite des opérations. Buffalo retire alors l'échelle de corde de sa ceinture, et la noue solidement au filin qui pend de l'autre côté des remparts.

L'homme-caoutchouc tire doucement sur la ficelle. La légère échelle de corde qui y est attachée commence à s'élever le long du mur. Elle monte, monte, atteint le sommet, et passe de l'autre côté.

Jo observe à bonne distance. Oui, c'est adroit. Un excellent moyen de franchir la grosse muraille ! Mais pour envoyer une échelle de corde jusqu'à la fenêtre de la tour, ce ne sera pas si facile ! Après réflexion, elle estime que c'est impossible.

Valentin siffle de nouveau. Buffalo teste

l'échelle : elle tient bien. Son complice l'a fixée solidement de l'autre côté. Elle est en état de supporter le poids de n'importe quel grimpeur.

Alfredo monte le premier. Les autres suivent, rapidement et sans bruit. Jo attend que le dernier ait commencé son ascension et fait de même. Elle franchit le mur et atterrit près de son oncle. Surpris et contrarié de la voir là, il veut la gronder. La bohémienne s'éloigne de quelques pas et décide de rester un peu à l'écart pour observer ses amis. Elle a hâte de savoir comment ils comptent atteindre la fenêtre de la tour, et espère de tout son cœur pouvoir se rendre utile.

Les quatre hommes examinent la tour. Leurs silhouettes se détachent dans le clair de lune. Ils parlent à voix basse, pendant que Valentin détache le filin et l'enroule soigneusement. La fine et souple échelle de corde reste sur le mur, pendant de part et d'autre.

Jo entend une voiture monter la route,

221

au pied de la colline. Les freins crissent et le véhicule s'arrête. Puis, c'est le silence. Soudain, la jeune fille perçoit un lointain bruit de voix. Elle retient son souffle.

« Est-ce que Dumoutier et les Cinq vont être enlevés cette nuit ? Pourtant Tessier est retenu prisonnier dans la caravane d'oncle Fredo... »

Les pensées se bousculent dans la tête de la bohémienne. Elle voudrait avertir les forains, mais elle craint leur réaction. Ils sont fâchés qu'elle les ait suivis jusqu'au château.

« Ils ne m'écouteront pas, pense-t-elle, alarmée. Ils vont me rabrouer dès que je voudrai leur parler. Enfin, tant pis, je vais quand même essayer. »

Elle s'approche du groupe de saltimbanques à petits pas. Elle voit Buffalo tirer de sa ceinture un couteau en forme de poignard, et l'attacher au bout de la fine corde, que tient dans ses mains l'homme-

222

caoutchouc. Aussitôt, elle devine ce qu'il veut faire, et court à lui.

— Non, Buff ! Non, ne lance pas ce couteau là-haut, tu risques de blesser quelqu'un !

— Laisse-moi ! Je sais ce que je fais !

Jo se tourne vers son oncle.

— Écoute-moi... supplie-t-elle. J'ai entendu des gens qui venaient par ici. Je crois que...

Mais le cracheur de feu ne l'écoute pas. Il la repousse fermement :

— Reste un peu tranquille ! On a besoin de se concentrer...

Tony appelle l'adolescente :

— Hé ! Si tu tiens absolument à te rendre utile, garde-moi donc Balthazar !

Il dépose l'énorme serpent sur les épaules de le jeune fille, et le python émet un sifflement aigu. Il commence à s'enrouler autour de Jo, qui le laisse faire. Elle aime bien Balthazar, mais trouve le moment mal choisi pour s'embarrasser du lourd reptile !

223

Elle s'éloigne un peu et observe Buffalo. Elle a compris ce qu'il cherche à faire, et elle est très inquiète. Il va lancer son couteau dans l'étroite fenêtre, tout là-haut.

« C'est vrai qu'il est d'une adresse extraordinaire... Mais où le couteau ira-t-il se planter ? Il risque de blesser Mick, ou François, ou l'une des filles, ou M. Dumoutier, ou encore Dagobert ? Oh ! C'est de la folie ! » pense Jo avec angoisse.

Elle entend à nouveau un murmure de voix. Cette fois, le son vient de l'autre côté du mur d'enceinte. Des hommes sont en train de se préparer à prendre le passage secret pour monter à la tour, c'est sûr ! Ils seront arrivés avant que Buffalo et les autres aient pu réaliser leur plan. La bohémienne imagine les quatre enfants et Dumoutier traînés dans les escaliers, ligotés et bâillonnés.

Quant au pauvre Dago, qui essaiera certainement de défendre ses amis, il va recevoir une balle de revolver ! Il a aboyé la nuit précédente, les bandits savent donc qu'il y a un chien et ne seront pas pris au dépourvu.

« Oh ! C'est affreux ! se désespère Jo. Quelle situation ! Il faut absolument que je fasse quelque chose ! Mais quoi ? »

chapitre 20

Balthazar fait des siennes

Jo prend une décision.

Elle suivra les mystérieux nouveaux venus dans le passage secret et tentera d'avertir ses amis quand elle sera assez près du donjon où ils sont emprisonnés. Elle veut les aider, d'une façon ou d'une autre.

Elle court jusqu'au mur d'enceinte, grimpe à l'échelle de corde et descend de l'autre côté en un clin d'œil. Elle gagne la cavité dans la muraille et s'engouffre dans le couloir étroit.

Balthazar, le python, est très étonné de se retrouver dans l'herbe, où la jeune

227

aventurière l'a jeté avant d'escalader le mur. Il n'est pas habitué à un tel traitement, et se tortille sur le sol, en se demandant où sont passées les confortables épaules sur lesquelles il était installé ! Le reptile aime Jo, qui sait si bien le soigner.

Il la cherche, retrouve sa trace et glisse aisément jusqu'en haut du mur d'enceinte, sans avoir besoin, pour sa part, de l'échelle de corde. Il se dépêche, ce qui n'est pourtant pas dans ses habitudes. Mais il peut aller vite, quand il le veut !

Il arrive à la cavité secrète. Comme tous les serpents, il aime les trous dans les pierres. Il s'y engage donc sans hésiter une seconde et rattrape sa jeune amie au moment où elle parvient au bout de l'étroit passage, qu'elle a dû traverser courbée en deux. Il veut s'enrouler autour de ses jambes. Surprise, elle pousse un cri, puis comprend qu'il s'agit de Balthazar.

— Eh bien, Tony ne serait pas content s'il te voyait ! gronde-t-elle. Va-t'en !

Laisse-moi, j'ai quelque chose d'important à faire, et je ne peux pas t'emmener !

Mais le python n'est pas comme Dagobert. Il obéit seulement quand ça lui plaît, et cette fois ce n'est pas le cas.

— Oh ! soupire Jo après avoir essayé en vain de le repousser. C'est bon, viens avec moi, puisque tu y tiens tant ! Après tout, tu me tiendras compagnie. Mais arrête de siffler !

Jo descend les marches abruptes qui conduisent au couloir situé sous la cour du château. Balthazar suit toujours, un peu surpris par les accidents du parcours, mais confiant dans la jeune fille et décidé à l'accompagner n'importe où. Ils montent le second escalier et pénètrent dans le mur épais de l'édifice. La bohémienne voit quelque chose qui brille devant elle, et juge prudent de s'arrêter. Elle écoute, mais n'entend rien. Elle avance prudemment et découvre, dans la petite chambre secrète, une lanterne qui brûle, abandonnée proba-

229

blement par l'un des hommes qui vient de passer par là.

Elle aperçoit le poignard rouillé sur le sol, ainsi que la corde dont elle avait réussi à se défaire, et sourit.

Elle continue d'avancer le long du corridor qui conduit à l'escalier en spirale. Elle croit entendre un bruit, et monte les marches, irritée contre Balthazar, parce qu'il la pousse parfois et manque de la faire tomber. Le serpent taquin a envie de jouer ! La jeune fille arrive à la porte qui s'ouvre sur la galerie, et hésite à actionner l'anneau. Les bandits sont peut-être de l'autre côté...

Jo se décide à l'ouvrir tout doucement. Elle ne distingue rien dans les ténèbres. Le reptile choisit ce moment-là pour s'enrouler autour de ses jambes, dans un grand élan d'affection. La malheureuse adolescente ne peut se débarrasser de l'animal, et s'introduit dans la galerie empêtrée de ce dernier qui s'est posé comme une fourrure sur ses épaules !

Tout à coup, rompant le silence, un vacarme épouvantable cloue la jeune aventurière sur place. D'où vient donc ce bruit sec, semblable à un coup de revolver ?

Mais que se passe-t-il en bas, dans la cour, depuis le départ de Jo et de Balthazar ? Aucun des forains n'a remarqué leur disparition. Ils sont tous trop occupés. Buffalo se prépare à faire preuve d'une adresse hors du commun. Il va lancer son couteau dans les airs et le faire passer par la fenêtre du haut de la tour !

Le saltimbanque connaît l'art de lancer des couteaux. Pourtant, cette fois, l'épreuve est particulièrement difficile. Debout dans la cour, il scrute la fenêtre. Les yeux mi-clos, il prend son temps pour mesurer la distance et la hauteur de l'objectif.

Au moment où il lève le bras, la lune disparaît derrière un nuage. Sa main retombe. Il ne peut lancer son couteau dans l'obscurité !

L'astre resurgit, brillant. Alors, le forain

231

ne perd pas une seconde. La lame luisante fend l'air, traînant derrière elle une longue corde.

Le couteau heurte le rebord de la fenêtre et retombe. Buffalo le ramasse. Le clair de lune permet de voir que le couteau n'est pas pointu. La lame a été soigneusement émoussée. Ainsi, personne ne risque d'être blessé, comme Jo le craint tant !

Une fois de plus, le saltimbanque évalue la hauteur du donjon, et lance son projectile. Cette fois, il passe par l'ouverture, glisse le long de la pierre et retombe sur le sol, à l'intérieur de la tour.

Le bruit clinquant surprend les prisonniers. Marcel Dumoutier, les quatre enfants et Dagobert sont tous serrés dans un coin, essayant de se réchauffer les uns les autres. Ils meurent de faim et de soif, plus encore que du froid. Personne n'a pensé à emporter des vivres, et ils ne disposent que d'une seule couverture. Les heures se sont égrenées lentement, sans

leur apporter la délivrance qu'ils espé-
raient tant.

« Pourquoi Jo n'a-t-elle pas été chercher
du secours ? » se sont-ils demandé cent
fois. Ils ne se doutent pas que leur amie a
passé des heures à essayer de se libérer
de ses liens !

Ils ont souvent regardé du côté du terrain de camping, sur l'autre colline, où les
saltimbanques se livrent à leurs occupa-
tions, pareils à des fourmis dans l'herbe.
La bohémienne est-elle parmi eux ? À
cette distance, il est impossible de recon-
naître les visages...

À la tombée de la nuit, François s'est
approché de la fenêtre pour faire des
signaux avec sa lampe de poche. Au bout
d'un long moment, découragés et misé-
rables, ils se sont tous réunis dans un coin
du sinistre donjon, pour avoir moins froid.

Dumoutier s'attend au retour de Tessier
et de ses complices, d'un moment à
l'autre.

« Que feront-ils de ces enfants qui ont

233

voulu me délivrer si courageusement ? »
songe-t-il sans cesse.

Dagobert ne comprend pas du tout pourquoi il faut rester dans cet endroit glacial
et inconfortable. Lui aussi a faim et soif.

— Pauvre Dago ! Je vois bien qu'il
souffre... se désole Claude.

Les enfants commencent à s'assoupir
quand le couteau lancé par Buffalo tombe
par terre. Le chien bondit, et se met à
aboyer. Puis il flaire le poignard, qui scin-
tille dans la clarté de la lune.

— Un canif ! s'écrie sa maîtresse étonnée. Un canif attaché à une grosse ficelle !

— C'est bizarre, il est émoussé du bout,
remarque François en l'examinant.
Qu'est-ce que cela veut dire ? Et pourquoi
cette corde ?

— Vous feriez mieux de vous éloigner
de la fenêtre, recommande Dumoutier. Un
deuxième couteau suit peut-être le premier...

— Non, répond Mick. Je pense que Jo
est pour quelque chose dans cette affaire.

234

Cette arme appartient à Buffalo, je la reconnais !

Tous se groupent autour de lui, pour observer l'objet.

— Il faut qu'on arrive à voir ce qui se passe au pied de la tour ! presse Annie.

— Oui, approuve Claude. Je vais regarder en bas. François, tiens mes jambes !

Elle grimpe sur l'appui de la fenêtre. Celle-ci est creusée très profondément dans la muraille. La jeune fille rampe jusqu'à ce qu'elle soit en mesure d'embrasser la cour du regard. Son cousin tient ses jambes de toutes ses forces, craignant que le rebord ne cède sous le poids de son corps.

— Il y a quatre hommes dans la cour ! annonce Claude. Alfredo, Buffalo, et deux autres que je n'arrive pas à identifier. Ohé ! Ohé ! Les forains !

Les saltimbanques ont les yeux rivés sur le sommet de la tour. Ils voient apparaître la tête de la maîtresse de Dago et lui font des signes.

235

— Tirez la ficelle ! hurle Buffalo.

Il y a déjà attaché une seconde échelle de corde, qu'il tient en l'air, avec l'aide de ses camarades, de façon qu'elle puisse glisser le long de la muraille.

L'adolescente rentre dans le donjon, et explique avec animation :

— Cette ficelle qui est liée au couteau est attachée à une échelle de corde ; on va tirer, et l'échelle viendra, ce qui nous permettra de descendre !

Ils tractent la corde. Au bout d'un moment, ils sentent une résistance et devinent que l'échelle de corde suit. Il leur faut tirer plus lentement. Alors, ils voient apparaître l'échelle de corde. Les enfants l'examinent curieusement. Elle est différente de celles qu'ils avaient eu l'occasion de voir auparavant.

— Les acrobates de cirque et les saltimbanques les fabriquent eux-mêmes, commente Dumoutier. Elles sont plus légères et plus faciles à utiliser que les échelles de corde courantes. Il nous faut fixer l'extrémité de celle-ci à quelque chose d'extrêmement solide, pour qu'elle puisse supporter notre poids.

Annie observe l'échelle avec appréhension. Va-t-elle être obligée de descendre de si haut par ce moyen périlleux ? Mais les autres sont enchantés d'avoir là une possibilité d'évasion. Ils sont prêts à faire n'importe quoi pour sortir enfin de cette affreuse prison !

Le savant trouve un grand anneau de fer, scellé dans la pierre d'une paroi. Voilà qui va leur être fort utile. Aidé de Mick, il fixe fermement les cordages à l'anneau. Tous deux font de nombreux nœuds. Dumoutier prend l'échelle dans ses mains, et tire dessus de toutes ses forces, en se cambrant en arrière. Pas de doute, elle ne cédera pas.

François décide de passer le premier :

— Quand je serai en bas, j'aiderai ceux qui descendront, ajoute-t-il.

— Et Dagobert ? demande soudain Claude.

— On l'enveloppera dans la couverture,

237

propose sa cousine. On l'attachera et on le fera descendre au bout de la ficelle.

Le scientifique se dirige vers la fenêtre. Puis il s'arrête net. Quelqu'un monte les marches et approche de la porte. Qui est-ce ?

chapitre 21

Dans la tour

La porte s'ouvre brusquement et un homme paraît, tout essoufflé.

— Tessier ! s'exclame Dumoutier, furieux. Encore vous !

Le bandit s'avance, suivi de trois complices.

Dagobert se met à aboyer et tente d'échapper à sa maîtresse pour se jeter sur les arrivants. Il montre les crocs, et tout autour de son cou le poil se hérisse de colère ; il a vraiment l'air redoutable.

Tessier recule. L'accueil que lui réserve l'animal l'inquiète visiblement.

— Si vous lâchez ce chien, je lui tire

239

dessus, menace-t-il en braquant un revolver sur le groupe.

Claude fait tout son possible pour retenir son brave compagnon et demande à François de l'aider. Ils obligent Dago à reculer dans un coin, où la jeune fille essaie en vain de le calmer. Elle ne veut pas voir son cher compagnon tué sous ses yeux !

— Comment pouvez-vous vous conduire ainsi ? lance Dumoutier à son confrère. Ces pauvres enfants....

Mais l'autre lui coupe la parole :

— Nous n'avons pas de temps à perdre. On vous emmène, Marcel, ainsi que l'un des gamins. Il servira d'otage au cas où on aurait des ennuis.... on prendra ce garçon-là !

Il essaie de saisir Mick, qui tente de lui envoyer un coup de poing dans la mâchoire, de toutes ses forces, mais il se retrouve immédiatement sur le sol.

— Emmenez-le ! grommelle Tessier à ses complices.

Ils se saisissent des deux prisonniers, qui sous la menace de l'arme à feu doivent se laisser lier les mains. On les pousse vers la sortie. Avant de franchir le seuil, Dumoutier se retourne et s'écrie, d'une voix tremblante de colère :

— Qu'allez-vous faire de ces petits ? Vous n'allez tout de même pas les enfermer ici et les abandonner...

— Mais si, assure le cruel historien, d'un ton cynique.

— Vous avez toujours été un lâche ! hurle Marcel.

Pendant ce temps, Dagobert aboie furieusement et s'étrangle presque, en essayant de se dégager. Quand il voit que l'on maltraite Mick, il fait un si violent effort que sa maîtresse croit un instant qu'il va lui échapper.

— Dépêchons-nous, presse Tessier.

Les trois hommes poussent leurs otages dans l'escalier. C'est alors qu'à la stupéfaction générale, une voix forte retentit, qui vient de la fenêtre !

241

Annie pousse un cri. Buffalo est là ! Il s'est demandé pourquoi personne ne descendait le long de l'échelle de corde, et a décidé de monter voir ce qui se passait.

— Eh bien, alors ! Qu'est-ce que vous faites ? Vous dormez, ou quoi ? s'exclame-t-il en se glissant dans la pièce.

Sa figure joviale, sa touffe de cheveux roux, sa chemise voyante et son fouet sont d'un effet tout à fait inattendu dans cette dramatique situation.

— Buffalo ! s'écrient les Cinq.

Tessier n'en croit pas ses yeux.

— Qu'est-ce que ça signifie ? hurle le bandit, très inquiet de cette soudaine apparition. Comment avez-vous pu entrer par là ?

Le forain comprend immédiatement que ses amis sont aux prises avec les espions. Il aperçoit le revolver du traître et fait claquer nonchalamment son fouet une fois ou deux.

— Posez ça par terre, ordonne-t-il. Vous ne devriez pas jouer avec ça quand vous

 242

êtes en présence d'enfants. Allez, dépê-chez-vous !

Il fait à nouveau claquer la lanière de son instrument. Le malfaiteur, hors de lui, pointe le pistolet dans la direction de Buf-falo. Alors, il se produit une chose inat-tendue, et stupéfiante : l'arme disparaît des mains de son détenteur et vole dans les airs. Le saltimbanque fait un bond en l'air et l'attrape en un éclair ! Un simple mou-vement de fouet a suffi pour retourner la situation. Maintenant, ce n'est plus Tessier qui tient le revolver, mais son adversaire !

La puissante courroie a frappé si vio-lemment les doigts de l'espion qu'il pousse des cris rauques et se tient plié en deux, en frictionnant ses membres meur-tris.

Dumoutier ne cache pas sa surprise, ni son admiration.

« C'est un beau tour, pense-t-il. Mais aussi très dangereux ! La cartouche aurait pu partir.... »

Heureusement, Buffalo a réussi son

coup, et Tessier est maintenant en mauvaise posture. Le traître se redresse enfin, très pâle, désorienté.

— Relâchez-les, exige le forain, désignant d'un signe de tête les deux otages.

Les complices du scientifique défont leurs liens mais restent debout derrière eux.

— Claude ! lance le forain. À ta place, je lâcherais le chien, histoire de rire un peu !

— Non, non ! supplient les bandits, terrorisés.

Juste à ce moment-là, la lune disparaît derrière un nuage et la tour est plongée dans l'obscurité ; seule la lanterne qu'Antoine Tessier a posée par terre en arrivant répand sa lueur dans un faible rayon.

L'escroc entrevoit une chance, pour lui et ses acolytes. Il donne un grand coup de pied dans la lampe, qui vole en l'air et va frapper Buffalo à la cuisse, puis s'éteint, les laissant tous dans les ténèbres. Le saltimbanque n'ose pas tirer. Il risque de blesser l'un des enfants !

— Claude, lâche le chien ! rugit-il.

Mais c'est trop tard. Dagobert n'a pas le temps de se ruer : les quatre espions viennent de refermer la porte derrière eux. On entend le bruit d'un verrou tiré, puis des pas précipités, qui dévalent les marches de l'escalier.

Quand la lune répand à nouveau sa blanche clarté, Buffalo voit autour de lui des visages consternés. Les enfants surtout sont dépités que leurs ennemis aient réussi à s'enfuir.

— Ils se sont échappés ! répètent-ils avec regret.

— Oui, mais sans nous, fait observer Dumoutier, et c'est déjà pas mal !

Tout en frictionnant ses poignets endoloris, Mick examine la situation :

— Ils ont filé par le passage secret. Ils seront dehors avant nous ! Maintenant, il ne nous reste plus qu'à descendre par

l'échelle de corde, le long du mur extérieur, puisque la porte est verrouillée !

— Allons-y tout de suite, recommande
François.

Il se dirige vers la fenêtre, glisse à plat
ventre et les pieds devant jusqu'au rebord
extérieur, et s'agrippe à l'échelle. Il n'a
aucune difficulté à descendre, mais en
regardant la cour, en dessous de lui, il se
sent mal à l'aise. Elle semble si loin !

Annie suit. Elle progresse lentement, car
elle a très peur de tomber. Elle s'abstient
de regarder en bas, et se sent soulagée
quand enfin elle met pied à terre, auprès
de son frère aîné et des forains restés au
pied de la tour.

Puis Claude arrive, avec des nouvelles
fraîches.

— Je ne sais ce qui est arrivé à Tessier
et à ses complices, déclare-t-elle. Quand
je suis partie, ils poussaient des cris ! On
avait l'impression qu'ils couraient autour
de la galerie !

— Ah ? répond son cousin, interloqué.

Bon, tant mieux ! S'ils restent assez long-temps là-haut, on ira les cueillir à la sor-tie... Oh ! ce serait trop beau.

— Voilà Dagobert qui descend, annonce l'adolescente. Je l'ai enroulé dans la couverture et je l'ai attaché du mieux que j'ai pu avec la corde. J'espère qu'elle sera assez solide ! Marcel Dumoutier dirige l'opération de là-haut. Pauvre Dago ! Il doit être bien malheureux en ce moment !

Le chien descend lentement, se balan-çant un peu, et heurtant de temps à autre la muraille. Il pousse des gémissements lamentables, et sa maîtresse souffre de l'entendre. Elle est sûre qu'il sera tout contusionné. Elle ne le quitte pas des yeux.

— Allez, ne t'en fais pas, la rassure François. Dag a l'habitude de ce genre de choses. Il a partagé toutes nos aventures !

L'animal est un peu étourdi du voyage. Les enfants le libèrent de ses cordes et de sa couverture, et il essaie de faire quelques pas pour s'assurer que le sol ne se dérobe

247

pas sous ses pattes. Puis il saute joyeusement autour de ses amis, heureux d'être
enfin libre.

— Regardez ! C'est le tour de Mick,
annonce Annie.

L'échelle de corde se balance un peu, et
Alfredo vient la maintenir. Le cracheur de
feu est maintenant très inquiet, tout
comme l'homme-caoutchouc et Tony.
Quand les Cinq sont réunis, ils leur
expliquent la cause de leur préoccupation.
Ils se sont aperçus de la disparition de Jo
et du python ! Le dresseur de serpents se
tourmente autant pour la jeune fille que
pour son précieux reptile. Il l'a cherché en
vain dans tous les recoins de la cour.

— La petite l'a probablement ramené
avec elle au camp, sans rien dire à personne, murmure-t-il pour se tranquilliser.

Lentement Dumoutier descend à son
tour, suivit de Buffalo qui, lui, bat tous les
records de vitesse.

— Quelle pagaille là-haut ! révèle-t-il
en souriant. C'est ahurissant ! On entend

248

des cris, des bruits de fuite précipitée, de bousculade.... Il est arrivé quelque chose à ces gars-là. Mais quoi ? On va pouvoir les accueillir à la sortie du passage, si on arrive à temps. Dépêchons-nous !

chapitre 22

Balthazar et Jo s'amusent

En effet, un incident inattendu a provoqué la panique parmi les espions.

Après que Tessier et ses complices ont claqué la porte au nez de Dagobert, qui se jetait sur eux, ils ont descendu les marches quatre à quatre pour s'engager dans la galerie.

Mais en avançant vers l'escalier en spirale, l'infâme savant marche sur quelque chose qui bouge sous son pied, quelque chose d'étrange qui se met aussitôt à émettre un sifflement aigu et à s'enrouler autour de ses genoux....

Il se débat et frappe la chose inconnue.

251

Tout d'abord il pense que c'est un mystérieux individu qui attend, tapi dans l'ombre, pour l'attaquer, et qui se jette dans ses jambes, mais il se rend vite compte qu'aucun homme ne sifflerait ainsi.

Surpris par le bruit, l'un des complices dirige la lumière de sa lampe sur Tessier. Ce qu'il voit lui arrache un cri d'épouvante !

— Oh ! Un serpent ! Un serpent énorme ! Il s'embobine autour de toi, Antoine !

— Mais aidez-moi ! crie son chef en frappant le serpent aussi fort que possible. Il me serre les jambes dans ses anneaux !

Les autres bandits viennent à son aide. Aussitôt qu'ils commencent à lui tirer la queue, Balthazar se déroule, glisse de leurs mains, et disparaît dans les ténèbres.

— Où est parti ce monstre ? demande Tessier, tout haletant. Une minute de plus et il me broyait les tibias ! D'où sort cette ignoble bête ? Dépêchons-nous ! Il peut revenir !

Ils avancent de quelques pas, mais le reptile les attend ! Il les fait tous trébucher, en se coulissant entre leurs pieds, et enveloppe la taille de l'un des hommes.

L'offensive de Balthazar provoque une bousculade et des hurlements tout autour de la galerie. Les espions sont pris d'une terreur panique. Partout où ils vont, le python est là, s'enroulant et se déroulant, glissant et serrant parfois assez fort pour leur faire croire que leur dernière heure est arrivée !

C'est Jo qui leur a envoyé le reptile, bien sûr !

En effet, pendant que, en haut de la tour, Tessier et ses acolytes menaçaient d'emmener Mick et Dumoutier, la bohémienne attendait dans la galerie avec Balthazar autour du cou. Elle essayait en vain de deviner ce qui se passait.

Puis, la porte claquée, les pas précipités dans l'escalier, le bruit des voix inconnues, la mettent sur la voie : c'est maintenant qu'elle doit intervenir !

— Balthazar ! À toi de jouer ! chuchote-t-elle en posant le serpent à terre.

Ce dernier paraît hésiter, se tortille, puis se coule sur la pierre de la galerie en direction des arrivants. À partir de ce moment-là, il s'amuse bien : plus les bandits crient, plus le python farceur s'acharne sur eux !

Jo, cachée dans un coin, étouffe ses rires. Elle sait que Balthazar est inoffensif, à moins qu'il ne serre quelqu'un trop fort dans ses anneaux. Elle ne peut rien voir de ce qui se passe, mais devine facilement, d'après les bruits qui lui parviennent.

« En voilà un par terre, pense-t-elle. Et encore un autre ! Bing ! Bang ! C'est à mourir de rire. Le protégé de Tony doit être ravi : il n'a pas le droit de se conduire comme ça tous les jours, et il profite de l'occasion ! »

Au bout de quelques minutes, les

hommes ne savent plus quoi faire. Ils ne réussiront jamais à quitter cette galerie !

— Remontons là-haut ! décide Tessier qui n'en peut plus. Nous n'arriverons jamais à rejoindre le passage avec tous ces serpents après nous ! Ils vont nous mordre ou nous réduire en bouillie !

L'adolescente a toutes les peines du monde à ne pas éclater de rire : Balthazar les a tant effrayés qu'ils croient avoir une douzaine de serpents venimeux à leurs trousses !

Les hommes s'engagent en désordre dans l'escalier qui monte au donjon ; ils parviennent à laisser leur agresseur derrière eux, car celui-ci commence à se fatiguer du jeu. La bohémienne l'appelle doucement et il revient vers elle. Il veut se couler autour des épaules de son amie, qui le laisse faire. Elle tend l'oreille. La porte a claqué, au-dessus. La jeune fille monte l'escalier et, à tâtons, trouve le verrou, qu'elle ferme d'un coup sec. Maintenant, les traîtres sont bel et bien prisonniers, à moins qu'ils ne veuillent se risquer à descendre le long de l'échelle de corde. Et s'ils osent emprunter cette voie périlleuse, ils seront accueillis par les saltimbanques à l'arrivée !

— Allons-nous-en, Balthazar, dit Jo en descendant l'escalier.

Elle regrette bien de ne pas avoir de lampe de poche. Puis tout à coup elle se souvient de la petite lanterne abandonnée dans la chambre secrète, et se sent réconfortée. Ainsi, elle ne sera pas obligée, une fois de plus, de faire dans les ténèbres la fin du parcours, le plus désagréable et le plus difficile !

Le reptile coulisse devant elle. Il connaît le chemin ! Ils arrivent tous deux dans la petite pièce dissimulée, et la jeune aventurière prend la lanterne. Elle regarde un moment le gros python, qui fixe sur elle ses yeux brillants ; son long corps ondule, et sa peau écailleuse réfléchit la faible lumière.

— Tu me plairais bien comme animal

de compagnie, si tu étais un peu moins encombrant ! confie Jo. Je ne comprends pas pourquoi les gens ont généralement horreur des serpents. Oh ! Balthazar, je ris encore en pensant à la façon dont tu as traité ces sales types ! Ils ont trouvé leur maître !

Elle poursuit son chemin sans difficulté, tenant haut sa lampe. Puis elle arrive au dernier couloir si incommode, où il faut se plier en deux. Le reptile, qui a pris de l'avance, l'attend prudemment. Il a entendu du bruit à l'extérieur...

Son amie grimpe la première et s'apprête à sortir du trou lorsque quelqu'un bondit sur elle et la maintient serrée. Elle se met à crier et à gigoter comme une diablesse. Une torche électrique se braque sur elle et l'aveugle. C'est alors qu'une voix bien connue s'écrie :

— C'est Jo ! Petit monstre ! Où étais-tu ?

— Buffalo ! Non, mais ça ne va pas de

sauter sur moi comme ça ! J'allais te mordre ! Oh, tu m'as fait peur !

La lune éclaire soudain la scène. La bohémienne aperçoit ses jeunes amis qui arrivent en courant vers elle, suivis de près par les autres forains.

— Jo ! Tu vas bien ? Qu'est-ce qui s'est passé ? lui demande Alfredo. On se faisait beaucoup de souci à ton sujet.

Au lieu de répondre, sa nièce va à la rencontre des Cinq et se met aussi à poser des questions :

— Alors, vous vous êtes échappés ? Vous avez pu descendre l'échelle de corde sans difficultés ?

— Ce n'est pas le moment de parler de tout ça, l'interrompt Valentin en surveillant la cavité dans le mur. Que sont devenus ces bandits ? On va les attendre ici. Tu les as vus, Jo ?

— Bien sûr ! Je les ai même suivis ! Oh ! C'était tellement drôle !

Elle éclate de rire.

À ce moment, Buffalo, qui ne relâche

258

pas sa surveillance, croit qu'un des espions s'apprête à quitter le passage, et braque le revolver dans cette direction. Et que voit-on sortir du trou ? Balthazar !

Tout le monde s'esclaffe, excepté Tony, qui se précipite vers son cher python :

— Balthazar ! Mon pauvre Balthazar ! Je t'ai cherché partout !

Le serpent glisse vers son maître et s'enroule affectueusement autour de lui.

Le cracheur de feu se retourne vers sa nièce, qui glousse toujours.

— Alors ? Tu vas nous dire ce que tu sais au sujet de ces individus, oui ou non ? se fâche-t-il. Est-ce qu'ils viennent par ici ?

— Ah oui ! les bandits... reprend la jeune fille, en s'essuyant les yeux et s'efforçant de dominer son fou rire. Ils vont bien. Balthazar les a obligés à se réfugier tout en haut de la tour, dans la prison qu'ils avaient réservée à M. Dumoutier. Je me suis empressée d'en profiter pour tirer le verrou sur eux. Ils sont toujours enfer-

259

més, je pense. Il faudrait s'assurer qu'ils ne descendent pas le long de l'échelle, mais je suis sûre qu'ils n'auront même pas ce courage !

Son oncle sourit.

— Tu as fait du bon travail, Jo. Et toi aussi, Balthazar ! Bravo !

Il demande à Buffalo et à l'homme-caoutchouc d'aller voir ce qui se passe dans la cour.

— Il me semble qu'il faudrait appeler la police, maintenant, intervient Dumoutier. Tessier est un homme très dangereux ! Il faut qu'il soit arrêté, sinon il livrera à une puissance étrangère le résultat des travaux que nous avons faits ensemble !

— On a capturé un autre type, annonce le cracheur de feu, et on l'a enfermé dans une de nos caravanes. Je pensais qu'il s'agissait de ce fameux Tessier...

— C'est impossible... déclare François. Antoine Tessier est dans la tour !

— Ah... fait Alfredo. Alors je me demande bien qui est la personne qu'on a

260

bouclée... De toute façon, il est très tard. On ferait mieux de rentrer au camp. On interrogera notre otage pour savoir qui il est vraiment... Dumoutier ? Vous vous chargerez d'avertir la police ? Vous pourrez leur raconter toute l'affaire dans le détail...

Le savant acquiesce.

Ils descendent la colline, très agités par les récents événements. Ils parlent tous en même temps. Marcel repasse dans sa tête toutes les images qui ont jalonné ces dernières heures ; il voit des échelles de corde, des fouets, des couteaux, des serpents tournant dans une ronde infernale. C'est sans doute l'effet de la fatigue et de la souffrance. Il regrette de ne pouvoir, à cette heure avancée de la nuit, s'acheter un sandwich sur la route du commissariat.

De leur côté, les cinq enfants trouvent long le chemin qui les mène au terrain de camping. Ils pensent tous à la grosse marmite noire de Mme Alfredo, et au petit ruisseau qui coule dans le pré. Dès qu'ils arrivent en vue de ce dernier, Dagobert s'élance pour aller boire à longs traits l'eau claire. Les enfants en font autant.

— Allons voir notre prisonnier, dit Buffalo, quand leur soif est apaisée. Il y a un mystère là-dessous !

Il ouvre la porte de la caravane et appelle d'une voix forte :

— Venez ! Nous voulons savoir qui vous êtes !

Il lève une lanterne et l'homme qui est à l'intérieur s'approche lentement. En découvrant son visage, Claude pousse un cri.

— Je ne peux pas le croire ! s'exclame-t-elle.

chapitre 23

Une fâcheuse méprise

Un long silence suit. Tout le monde observe la jeune fille.

— Cet homme n'est pas un bandit ! explique-t-elle enfin. C'est Vincent, l'assistant de papa !

C'est donc le jeune collaborateur du père de Claude qu'on a traité en malfaiteur ! Les cousins de l'adolescente et les forains sont stupéfaits. Jo se sent particulièrement mal à l'aise. C'est elle qui a causé cette erreur. Elle a pris l'inconnu pour Tessier.

— Claude, articule enfin le nouveau venu, très digne dans sa colère. Je vou-

drais que tu ailles immédiatement téléphoner à la police. J'ai été séquestré dans ce
véhicule sans aucune raison ! Ta mère était
très inquiète après ton coup de fil. Comme
ton père était en déplacement à Paris, elle
m'a envoyé ici pour m'assurer que vous
alliez tous bien !

En entendant les explications de
Vincent, Alfredo blêmit. Il se tourne vers
sa nièce.

— Jo ! Pourquoi tu ne nous as pas dit
qu'il était le collègue du papa de Claude ?

— Mais je ne le savais pas ! répond la
bohémienne. Je ne l'avais jamais vu ! Et
comme ma seule rencontre avec Tessier
s'est faite dans l'obscurité de la chambre
secrète, je ne connaissais pas non plus son
visage....

— Eh bien, bravo ! ironise l'assistant.
J'ai pourtant hurlé mille fois que je n'étais
pas la personne que vous croyiez ! On
n'enferme pas les gens comme ça ! Je
veux que quelqu'un appelle le commissariat !

— Ne vous fâchez pas, il y a eu un mal-entendu, tente de l'amadouer François. De toute façon, les policiers seront là bientôt : M. Dumoutier est allé les prévenir qu'on avait mis la main sur les bandits.

Vincent le regarde d'un air ébahi.

— Comment ? Dumoutier ? Où est-il ? Que s'est-il passé ? On l'a retrouvé ?

— Oui, acquiesce Mick. On a décou-vert qu'il était séquestré par Antoine Tes-sier dans le donjon du château de Mauclerc.

— Marcel n'est donc pas coupable ! Claude, ton père avait raison ! Mais vous, les enfants, où étiez-vous quand je suis arrivé au camping ?

— On vous racontera toute notre aven-ture, assure Annie, mais, pour le moment, on est à bout de forces, et on meurt de faim ! On n'a rien mangé depuis hier !

L'assistant n'insiste pas. Mme Alfredo s'affaire à ses fourneaux et, bientôt, sort de sa grosse marmite de quoi régaler les cinq pauvres campeurs. Ils s'asseyent

265

autour d'un beau feu, et engloutissent tous plusieurs assiettées. Quand ils sont rassasiés, il ne reste plus grand-chose dans la cocotte de Marina. Les desserts affluent de tous les coins du camp. Chacun des forains dépose un fruit ou une friandise devant les jeunes vacanciers. Dagobert est également comblé de restes de toutes sortes et d'un gros os !

Ensuite, François commence le récit des péripéties des dernières heures, Mick le relaie et Claude ajoute encore quelques détails. Jo interrompt souvent, et Dagobert ponctue l'incroyable histoire de ses aboiements. Seule, Annie se tait, songeuse. Elle s'appuie sur l'épaule de Vincent, et somnole doucement.

— Quelle histoire ! répète ce dernier. Je n'en reviens pas qu'Antoine ait voulu enlever Marcel ! De toute façon, ce Tessier, je ne le connais pas bien, mais j'avoue qu'il ne m'a jamais plu ! Bon, continuez.

Les saltimbanques sont, eux aussi, captivés par ce récit. Ils s'approchent de plus en plus près, pour mieux entendre la description du passage secret, de la mystérieuse petite chambre, des escaliers de pierre et de tout le reste....

Quand ils apprennent comment Buffalo est apparu par la fenêtre de la tour et a enlevé le revolver des mains de Tessier, ils applaudissent !

— Quelle surprise pour Tessier ! s'exclame le jeune savant. J'aurais voulu être là pour voir la tête de cet escroc. Vraiment, je n'ai jamais entendu une histoire pareille de ma vie !

Puis c'est le tour de Jo de raconter comment elle a suivi les quatre bandits dans le couloir étroit, et lâché Balthazar contre eux. Le fou rire la reprend en évoquant la scène, et tous les forains se mettent à glousser avec elle. Seul le jeune scientifique se renfrogne. Il n'a pas oublié que, pour calmer ses cris, le dresseur de serpents a introduit le python dans le véhicule où il était enfermé....

— Tony, tu peux aller chercher Baltha-zar, demande la bohémienne. Il doit avoir sa part de compliments, lui aussi. Ah ! il s'est bien amusé. Je suis sûre qu'il aurait ri, si les reptiles savaient rire !

Le pauvre Vincent n'ose pas protester quand le petit homme brun va chercher son protégé.

On lui fait un accueil triomphal. Jamais on ne s'est tant occupé de lui, et il en semble ravi.

— Est-ce que je peux essayer de le por-ter ? s'enquiert Claude, et elle met l'ani-mal autour de son cou.

L'assistant de son père manque de s'évanouir. La vue de l'adolescente et de son étrange écharpe le rend malade. Il se serait levé et éloigné si la petite Annie ne s'était pas endormie contre son épaule.

— Regardez ! s'écrie soudain Mick. Voilà Marcel Dumoutier qui arrive avec trois policiers !

Tout heureux de revoir son confrère, Vincent sourit et lui serre la main vigoureusement. Le savant, qui n'a toujours pas mangé, manque de perdre l'équilibre.

— Je suis si content que vous ayez échappé à cet odieux complot, se réjouit le jeune homme. La presse vous a injustement accusé. Henri Dorsel, le père de Claude, est allé à Paris expliquer aux autorités que vous n'étiez pas coupable ! Je suis tellement soulagé que vous soyez tiré d'affaire !

— C'est grâce à ces enfants, déclare Dumoutier, qui paraît à bout de forces. Je pense que vous avez entendu le curieux récit de cette aventure....

— Et comment ! Cette histoire est incroyable ! Et pourtant, c'est à vous qu'elle est arrivée. Vous devez être épuisé.

— Oui, reconnaît le scientifique. Mais avant de penser à me reposer, il faut que je retourne au château. Nous devons arrêter Antoine et ses acolytes. Je suis venu demander si l'un des enfants voulait bien nous accompagner, car il paraît que nous devons suivre un passage assez compliqué, avec des galeries et des escaliers en spirale et je ne sais quoi encore !

— Vous n'avez pas pris cette voie quand les bandits vous ont amené dans la tour ? demande Mick, très surpris.

— Sans doute. Mais mes ravisseurs m'avaient endormi à l'aide d'une boisson dont je ne m'étais pas méfié. Je ne me souviens de rien. Quant à Tessier, il connaît les lieux comme sa poche. C'est un spécialiste des vieux châteaux, vous savez !

— Je vais vous accompagner, propose Jo. J'ai parcouru le passage plusieurs fois ! Je le connais par cœur ! Je peux y aller, oncle Fredo ?

— Oui, je crois que tu seras utile à M. Dumoutier, acquiesce le cracheur de feu.

— Emmène Dagobert, offre Claude, généreusement.

D'habitude, elle ne consent jamais à laisser son chien suivre la bohémienne.

— Ou bien Balthazar ! suggère Mick en riant.

— Ce n'est pas la peine, estime son amie. Je pense que ces trois policiers sont suffisants pour me protéger !

Elle se met en route, avec Marcel et les trois brigadiers, et marche fièrement devant eux, avec l'impression d'être une héroïne.

Les autres enfants rentrent dans leurs roulottes. Ils sont vraiment fatigués. Vincent s'assoit près du feu de camp, attendant l'arrivée de Tessier et de ses complices.

— Bonne nuit, dit François aux filles. Je voudrais bien attendre leur retour, mais je ne tiens plus debout ! Mes yeux se ferment tout seuls !

Ils s'éveillent très tard le lendemain matin. Jo, debout bien avant eux, bouillonne d'envie de leur raconter la fin de l'aventure : comment les policiers ont capturé Tessier et ses acolytes, et comment

271

les bandits ont été emmenés au commissariat.

Impatiente, la jeune fille a voulu aller réveiller ses amis, mais Mme Alfredo s'y est opposée.

Enfin, elle voit paraître les Cinq. Dagobert est le premier auprès d'elle. Les campeurs s'approchent, pressés de connaître les dernières nouvelles.

— Bonjour, les enfants ! lance Vincent joyeusement en voyant la petite troupe sortir des roulottes.

— Salut ! répondent-ils.

Ils font un cercle autour de Jo, très fière d'avoir participé à l'arrestation des espions.

— Ils n'ont pas cherché à se débattre ou à s'enfuir, explique-t-elle avec un léger ton de déception. Balthazar leur a fait si peur hier qu'ils n'étaient plus capables de lutter. Ils se sont rendus sans un mot !

— Venez tous ! appelle Mme Alfredo. J'ai préparé le petit déjeuner !

Ils ne se font pas prier. Jo se joint à eux,

bien qu'elle ait déjà mangé. Vincent suit. Il regarde avec ébahissement ce qui se passe autour de lui dans le camp.

Buffalo répète ses différents exercices, d'abord avec une longue corde, ensuite avec un fouet au manche scintillant de pierres fines. L'homme-caoutchouc passe et repasse dans les rayons des roues de sa caravane. Tony astique et polit ses pythons avec ardeur. Dacca met au point son numéro de claquettes.

Le cracheur de feu arrive avec ses accessoires, ses flambeaux et son bol de métal.

— Vous voulez assister à un petit spectacle ? demande-t-il au nouveau venu.

L'assistant regarde Alfredo avec inquiétude.

— Euh... non merci. Je ne tiens pas du tout à vous voir avaler des flammes. Surtout de si bonne heure !

Le forain est très déçu. Il voudrait exécuter son numéro devant le jeune collègue du père de Claude pour faire oublier la

273

fâcheuse méprise de la veille. Il s'éloigne tristement.

— Non mais tu es complètement fou, ou quoi ? gronde Mme Alfredo. Qui a envie de te voir manger du feu ? Ça n'intéresse pas ce monsieur ! Tu n'as pas de cervelle ! Va ranger ton attirail et apporte des bols pour servir le café !

Le saltimbanque disparaît dans sa caravane et Vincent reste tout surpris de ce mouvement d'humeur.

— Les enfants, je retourne chez les parents de Claude aujourd'hui. Je pense que vous devriez venir avec moi. Après toutes ces aventures, il faut que vous vous reposiez au calme.

— Oh ! non ! s'exclament les Cinq, très contrariés. On ne va pas partir alors que tout rentre dans l'ordre ! Aucun de nous n'a envie de s'en aller !

Dagobert frappe le sol de la queue en signe d'approbation.

— Bon... Je vois qu'il est inutile d'insister, constate le jeune savant en se levant.

Les campeurs l'accompagnent jusqu'à la station de bus. Celui-ci arrive bientôt.

— Au revoir ! lance le jeune homme. Au fait, Claude, que dois-je dire à ta mère ? Elle attend avec impatience que je lui rapporte des nouvelles de vous tous !

Le car démarre.

— Dites-lui qu'on s'amuse comme des fous ! crie l'adolescente. Et que le Club des Cinq n'a pas fini de vivre de belles aventures !

Quel nouveau mystère le Club des Cinq devra-t-il résoudre ?

Pour le savoir, regarde vite la page suivante !

● ● ● ● ● ● ● ● ● ● ● ● ● ●

Claude, Dagobert et les autres sont prêts à mener l'enquête

Dans le 13e tome de la série le Club des Cinq,

Le Club des Cinq joue et gagne

Pauvre Claude ! Comme l'année passée, elle voulait camper avec ses cousins à Kernach, son île préférée. Mais l'oncle Henri s'y installe afin de poursuivre ses recherches. Et il veut être tranquille ! Pourtant, il ne semble pas seul... Qui sont les deux hommes qui ont débarqué sur l'île ? Que complotent-ils ? Le Club des Cinq est bien décidé à mener l'enquête !

Les as-tu tous lus ?

1. *Le Club des Cinq et le trésor de l'île*

2. *Le Club des Cinq et le passage secret*

3. *Le Club des Cinq contre-attaque*

4. *Le Club des Cinq en vacances*

5. *Le Club des Cinq en péril*

6. *Le Club des Cinq et le cirque de l'Étoile*

7. *Le Club des Cinq en randonnée*

8. *Le Club des Cinq pris au piège*

9. *Le Club des Cinq aux sports d'hiver*

10. *Le Club des Cinq
va camper*

11. *Le Club des Cinq
au bord de la mer*

Suis
le Club des Cinq
dans chacune de ses
Aventures !

Table

1. Claude s'ennuie 7
2. De nouveau réunis 19
3. Une agréable matinée 29
4. Les forains arrivent 39
5. De surprise en surprise 51
6. Un drôle de voisinage 61
7. Une grosse émotion 73
8. Où sont les roulottes ? 83
9. Une grande surprise 93
10. De retour parmi les forains 103
11. Le mystère de la tour 115
12. Une représentation gratuite 125
13. En route pour le château 137
14. Le château de Mauclerc 149
15. Expédition nocturne 163

16. Le passage secret............................ 175
17. Une nuit mouvementée 187
18. Une surprise pour Jo 199
19. Opération commando ! 213
20. Balthazar fait des siennes 227
21. Dans la tour.................................... 239
22. Balthazar et Jo s'amusent.............. 251
23. Une fâcheuse méprise 263

« Pour l'éditeur, le principe est d'utiliser des papiers composés de fibres naturelles, renouvelables, recyclables et fabriquées à partir de bois issus de forêts qui adoptent un système d'aménagement durable. En outre, l'éditeur attend de ses fournisseurs de papier qu'ils s'inscrivent dans une démarche de certification environnementale reconnue. »

Composition MCP – *Groupe Jouve* – 45770 Saran

Imprimé en France par Jean-Lamour - Groupe Qualibris
Dépôt légal : avril 2009
20.20.1453.8/03 – ISBN 978-2-01-201453-4
Loi n°49-956 du 16 juillet 1949
sur les publications destinées à la jeunesse